열일하는
파금기사

열일하는 과금 기사 11

초판 1쇄 발행 2022년 8월 31일

지은이 | 박건
발행인 | 신현호
편집장 | 이호준
편집 | 송영규 최종건 정재웅 양동훈 곽원호 조정범 강준석 최성화
편집디자인 | 한방울
영업 | 김민원

펴낸곳 | ㈜ 디앤씨미디어
등록 | 2002년 4월 25일 제20-260호
주소 | 서울시 구로구 디지털로 26길 111 JnK디지털타워 503호
전화 | 02-333-2513(대표)
팩시밀리 | 02-333-2514
E-mail | papy_dnc@dncmedia.co.kr
블로그 | blog.naver.com/gnpdl7

ISBN 979-11-364-3623-8 04810
ISBN 979-11-364-2823-3 (SET)

박건 판타지 장편소설
11
Papyrus Fantasy Story
열일하는
과로기사
PAPYRUS
파피루스

chapter1.

게임 클리어

chapter1.
게임 클리어

"당연히 있지 이것들아."

그러나 나는 녀석들을 보며 미소 지었다.

"1조 3000억을 썼는데."

자본 주의의 힘을 보여 줄 때였다.

쩡!

히페리온과 히페리온이 충돌한다. 우위는 단 일초(一招) 만에 드러났다.

[크……!]

바닥이 부서지고 마검왕의 피부가 쩍 갈라져 피가 튄다. 혈관이 피부 위로 도드라진 마검왕의 얼굴은 마치 흉신악살 같다.

그는 놀라운 기교로 힘을 흘려냈지만 그럼에도 한계가 있었다.

운석 낙하에 맞먹는 물리력.

차원을 찢어발기는 검강은 그의 근육을 찢고 뼈를 뒤틀었다.

[이 무식한 놈이…… 힘으로……!]

"꼭 약한 놈들이 그런 소리를 하지."

쩍!

검과 검이, 검강과 검강이 충돌하며 그 무지막지한 충격을 버티지 못한 공간이 일그러진다.

보통의 인간이라면. 아니 특수 장갑으로 보호받는 기가스라도 버티지 못할 후폭풍에 마검왕은 호신강기를 일으켜 자신을 보호했다.

반면 나는 몸으로 얻어맞아도 무사하다.

'역시 상대가 안 돼.'

마검왕은 초월적인 검술 실력을 가진 절대 고수지만 일대일로 맞서기에는 나와의 스펙 차이가 너무 크다.

내가 힘만 센 애송이라면 그 빈틈을 노려 자멸시키는 게 가능할지도 모르지만…… 어설프긴 해도 나 역시 절대 고수가 아니던가?

초식이 오갈 때마다 이득과 손해가 눈덩이처럼 부풀어 오른다.

마검왕에게는 승산이 없으며 아무리 발악하며 버텨 봐야 20분 안쪽으로 해결이 가능하다.

녀석이 혼자였으면 그랬을 거라는 말이다.

[건- 방 떨지 마라!]

단번에 달려온 쉘곤이 사커킥으로 나를 걷어찼다. 덩치에 안 맞는 쾌속과, 광대한 그 공격 범위에 피할 수가 없었다.

쩌정!

순식간에 돌아서 마주 후려치는 사이 마검왕이 뒤로 물러난다.

[재구축(Reconstruction).]

망령룡 레플리의 나직한 목소리와 함께 열심히 때려 놓은 마검왕의 상태가 단번에 회복된다.

문제는 그뿐이 아니다.

[멸망의 우레!]

—축복하는 자께서 말씀하시길. 선부른 질주는 멈춤보다 못한 것이니라.

벼락이 떨어져 등판을 후려치고 광속을 내기는커녕 음속도 낼 수가 없도록 [규칙]이 정해진다.

가장 압권은 어디선가 갑자기 우르르 등장한 소녀들이었다.

[분대 앞으로! 퇴로를 막아라!]

[탱커 클래스 앞으로! 버프 개시!]

[진형! 금강불괴(金剛不壞)!]

하얀색, 연두색, 파란색 검은색 보라색 등 온갖 색깔의 머리칼을 가진 소녀들이 검과 방패, 지팡이, 심지어는 총

화기까지 들고 보스 룸 입구에 진을 친다.

그녀들의 힘은 절대 만만치 않아 하나하나가 전설급 이상.

게다가 능력과 특성이 철저히 나뉘어 있어 서로 간에 시너지를 일으키고 있다.

'아, 이거 도대체 뭔 게임 출신인가 감이 안 왔었는데.'

나는 그녀들을 소환 해낸 사슴뿔 여인을 바라보며 헛웃음 지었다.

'미소녀 수집형 RPG였나?'

굳이 말하자면 다크 스타와 수집형 카드 게임(Collectible card game, CCG)의 일종이라 할 수 있을 것이다.

뽑기나 퀘스트로 각기 다른 특성과 성능을 가진 미소녀를 수집하고 그걸로 파티를 짜 몬스터나 다른 플레이어와 싸우는 종류의 게임.

'탈출은 힘들겠군.'

보스 몬스터들과 달리 [소환]된 그녀들은 피해를 입으며 처리해 봐야 다시 소환해 버리면 그만.

문제는 그뿐이 아니다.

[어리석은 선택을 하시는군요…….]

새하얀 드레스. 그리고 그 드레스와 대비되는 새까만 날개를 가진 흑발의 여인이 날개를 활짝 펼치자 강대한 신성력이 바닥에 깔린다.

액션 RPG. [영웅신화전]의 최종 보스, 모리안(Morrighan).

지금은 그 힘이 대부분 봉인되어 있다는 설정을 가진

저 전쟁의 여신은 자리에서 한 발짝 움직이지 않음에도 무시할 수 없는 힘을 발휘한다.

[킥킥! 킥킥킥!]

예언의 눈 딥 아이가 정신 공격을 시작한다.

[그래. 이렇게 된 거 좀 피해를 보더라도 결판을 내 봐야겠군.]

[최후의 결론은 그 자리에 있으니. 걸음을 늦추더라도 도달하지 않을 수는 없으리라.]

[사지를 잘라 봉인식을 새기면 이곳과 현실을 오갈 수 있어도 별수 없겠지.]

나머지 스페셜 보스들도 살기를 피워 올리며 접근을 시작한다.

'그래. 내가 괜히 잡혀 있던 게 아니지.'

동일한 몬스터 12마리가 있어도 답이 안 나올 판국에 각각 다른 능력을 가진 신화급 몬스터가 열둘인 것이다. 34지구 같은 [환경]이 갖춰지지 않은 이상 그 누구라도 상대할 수 없는 강적들.

그러나 나는 망설임 없이 땅을 박찼다.

쿵!

[절대 명령 : 속도 제한]에 의해 음속조차 초월할 수 없는 느릿한 속도 속에서 나의 [적]들을 보았다.

원래대로라면 승산이 없어야 할 전투는 지금의 내게 전혀 다르게 다가온다.

[운명 선택.]

순간 시야가 일그러진다. 아니, 정확히 말하자면 시야 그 이상의 감각이 뇌리를 지배했다.

쿠르르---!

온갖 색의, 온갖 질감의 [흐름]이 온 세상을 뒤덮는다. 괴성을 지르며 달려드는 쉡곤에게서 수십 수백 갈래의 [분기]가 갈라진다.

나는 무한히 늘어진 의식 속에서 분기를 하나하나 살폈다.

몰아치는 해일, 휘둘러지는 주먹, 죽음의 명령, 울려 퍼지는 포효 모든 것이 뇌에 박히듯 인식되었다.

수많은 운명, 수많은 가능성.

나는 그중 하나를 [선택]했고.

쉡곤은 그렇게 움직였다.

쩡!

[큭!? 쉡곤 이 녀석 뭐 하는 거야!?]

[제길! 어떻게……!]

마치 그린 듯 쉡곤의 공격을 흘려 옆의 녀석을 치게 만들었다. 상대가 초월자란 사실을 생각해 보면 실로 말이 안 되는 신기(神技)였지만, 그것이 내가 [선택]한 공격이라는 걸 생각해 보면 당연한 일이다.

-축복하는 자께서 말씀하시길. 모두가 제자리에 서서

그분의 말씀을 경청했느니라.

[절대 명령 : 이동 금지].
그러나 그 또한 내가 유도한 것이었다.

대기만성(大器晩成). 공참격(空斬擊).

[윽……!?]
모리안의 오른쪽 날개가 잘려 나간다. 원래대로라면 당하지 않았을 것이다. 그녀의 몸을 타고 흐르는 신성이 공격을 방어할 것이기 때문이다.
그러나 그녀는 잠시 방어를 걷고 공격을 하겠다는 잘못된 [선택]을 했고 그 대가를 치르게 되었다.
그 선택이 스스로가 아닌 내가 한 것이라는 걸 알면 덜 억울할까.
[조심하시오! 그가 예지 능력을 쓰고 있소!]
[아니, 어떻게 초월자들한테…… 심지어 큰 흐름도 아니라 이토록 자잘하고 정확한 예지를 한다고!?]
신화급 몬스터들이 당황하거나 말거나 계속 움직이며 생각한다.
'……그렇군.'
지금 내가 보고 있는 운명의 흐름은 [전투 예지]와 전혀 다르다.
역설적이게도 진짜 [예지] 능력을 얻게 되면서 나는 내 전투 예지의 이질감을 깨달았다.

'예지가 아니었어.'

예지는 운명의 흐름을 관측하는 능력이다. 세상 가장 작은 것부터 가장 큰 것들까지 그 무엇도 피해갈 수 없는 거대한 흐름을 읽는 능력.

그러나 내 전투 예지는 다르다.

앞에 [불가사의한]이라는 명칭이 붙어 있던 것은 그 능력의 뛰어남이나 수준을 넘어 그만큼 이질적이기 때문이다.

마치 [무대 밖]에서 무대를 들여다보는 듯한 [시점].

'즉…… [그녀]의 시선인가.'

대우주 그 자체인 창조신과도 동급이라는 외계(外界)의 존재, 흔히 말하는 외신(外神)과도 차원이 다른 존재.

'어쩌면 지금 이 전투도, 내 삶도 지켜보고 있을지도 모르겠군.'

공포스러운 일이다. 누구나 두려움을 느낄 수밖에 없는 상황이었다. [그녀]라는 존재는 그야말로 코즈믹 호러라고 해도 과언이 아닐 테니까.

"흥."

그러나 코웃음 한 번으로 털어 낸다. 고작 누군가의 시선이 두려워 덜덜 떨 정도로 한가한 인생이 아니다.

쩌정! 쩍!

충돌한다. 쳐 내고 찍어 냈다.

신화급 몬스터는 힘을 합쳐 나를 짓누르려고 들었지만 그들의 공격은 계속해서 엉키고 서로를 방해했다. 순간

순간의 합이 계속해서 어긋나고 모든 선택과 판단이 모조리 읽혀 버린다.

뿌득!

[네놈---!]

섬뜩한 소리와 함께 발목이 부러지자 쉠곤이 괴성을 지르며 파도를 불러온다. 나는 빙판을 만들어 파도를 타 넘은 뒤 전력으로 뽑아낸 검강을 휘둘렀다.

촤악!

마침내 버티지 못한 녀석의 피부가 갈라지고 아킬레스건이 끊어져 버린다.

신화급 몬스터들의 분위기가 심각하다.

[단순한 예지가 아니다! 뭔가가 이상해!]

[공격이 유도되고 있다! 확률 조작 능력인가?]

[이게 무슨……!]

자신의 능력에 대해 완벽하게 파악하고 있는 초월자들이었기에 심각함을 더욱 확연하게 느끼는 모양이다.

묘하게 꼬이는 템포.

묘하게 꼬이는 호흡.

전투는 그들의 입장에서 [가장 안 풀리는] 방식으로 전개되고 있다.

'하지만 이걸로는 모자라.'

초월병기, [운명 선택]의 효과는 실로 막대하지만 그럼에도 초월자들을 상대로 발휘할 수 있는 힘에는 한계가 있다.

만일 전투 수준이 좀 낮았다면 상황은 달랐을 것이다. 운명 선택이 만들어 내는 변수 자체가 전투를 끼치는 영향이 막대하기 때문이다.

예를 들어 마법사가 우연히 마법 캐스팅에 실패한다면?

치열한 전투를 수행하던 전사가 굴러다니는 돌을 잘못 밟아 넘어진다면?

이런 최악의 [우연]은 단번에 전투 자체를 무너트릴 정도로 치명적인 결과를 만들 것이다.

반면 초월자들은 어떤가?

대마법사가 전투 중에 캐스팅에 실패할 확률은?

'0퍼센트.'

절대 고수가 전투 중에 실수로 넘어질 확률?

'0퍼센트.'

그것이 현재 상황. 전투 수준이 너무나 높아서 애매한 변수는 끼어들 자리가 없다. 운명 선택은 존재하는 운명을 관측하고 선택하는 것이지 있을 수 없는 거짓을 꾸며 내는 초월병기가 아니기 때문이다.

이 작은 세계 안에서의 변수로는 한계가 있다.

'밖의 운명이 필요하다.'

말하자면 외부 변수.

[운명 선택.]

[밖]을 본다. 이곳과 연결되어 있는 세상들이 감지된다. 연결된 세상은 연결된 운명을 가지고 있다.

수많은 운명, 수많은 변수, 수많은 가능성…….

나는 그것들 중 하나를 선택했다.

훅!

아이템들을 잡아먹고 잔뜩 쌓였던 운명 선택의 힘이 줄어들고, 뒤쪽에서 우리의 전투를 지원하고 있던 외계인을 닮은 괴물의 몸이 경련한다.

[키엑……!?]

심각한 분위기에 초월급 몬스터들의 표정이 굳는다.

[이런 미친. 설마 또…….]

[캭!]

괴성과 함께 차원이 갈라지고 괴물이 그 안으로 뛰어들어간다.

차원의 틈 위로 정보가 표시된다.

[게임명 : 우주 괴수 : 고립.]

"공포 게임이었군."

나는 잠시 방어를 하며 상황을 지켜보았다. 게임 클리어 메시지를 기다린 것이었지만 아쉽게도 상황이 그렇게까지 잘 흘러가지는 않는다. 상황이 정리되기 전에 보스 몬스터가 복귀한 덕분이겠지.

[이런…….]

[곤란한데…….]

그러나 상관없다. 흐름이 완전히 기울어 버렸기 때문이다.

[이런! 우리 세계에도 연결이 시작되었소. 이런 식이라면…….]

[내 세상을 지켜야 해. 내가 자리에 없으면 거점이 완전 비활성화된다고!]

초월급 몬스터들이 술렁이기 시작한다. 다크 메시아가 아무것도 못하고 사라지는 모습을 봤으니 당연한 일이었다.

[어쩔 수 없구려. 언제까지 여기를 지키고 있을 수는 없으니.]

[크르릑…… 미안하게 되었군.]

[미안해요.]

초월급 몬스터들이 하나둘 사라진다.

[……이제는 남아 봐야 별 의미가 없겠군.]

[그래. 숫자가 이리 줄어 버려서야.]

상황을 관망하던 녀석들도 상황은 마찬가지.

[……곤란하게 되었군.]

결국 일대일의 상황.

[혹시 항복한다고 하면 받아 줄 건가?]

거대한 덩치 안 맞는 망령룡의 약한 소리에 웃는다.

그리고 답한다.

"아니."

그리고 잠시 후.

[게임 클리어(Game clear)! 게임이 클리어되었습니다!]
[게임명 : 리벤지.]
[아이디 : 한재연.]

또 하나의 세상이 클리어됐다.

* * *

차크라 중급 초월자에 대한 정보는 극히 드물다. 힘을 쌓으면 세상을 뒤흔들고 우주에 큰 사건을 일으키는 다른 황제 클래스와 달리 차크라 중급 초월자들에 대한 소식은 어디에서도 찾아볼 수 없기 때문이다.

차크라 능력의 극의(極意)는 결국 채널링(Channeling).

그들은 경지가 올라갈수록 특정 요소에 깊이 감응하고 동화되어 버린다. 간혹 남겨진 정보들은 그들이 더욱 큰, 혹은 너무나 작은 세계로 떠나 버렸다는 이야기들뿐이다.

[아니…… 여긴 어디야? 이게 뭔데?]

새까만 머리칼의 소녀가 어안이 벙벙한 표정으로 아무것도 없는 세상을 내달리고 있다. 온통 하얗기만 한 세상 속의 유일한 검정이 도드라지게 눈에 띈다.

"야-! 인간! 한재연! 여기 어디야? 지금 보고 있지?!"

약간이지만 공포마저 담긴 표정으로 소리치고 있다. 아무래도 너무나 넓어진 내면세계가 낯설게 느껴진 듯했다.

"소리 지르지 마. 아직 익숙하지가 않아서 머리가 울려."

[한재연!]

[시점]에 집중해 아무것도 없던 허공에서 육체를 빚어낸다. 다만 그 감각이 지금까지와 달리 너무나 생생하다.

'여기가…… 내면세계가 맞긴 하지?'

차크라 중급 초월자에 대한 정보는 극히 드물고 경지에 대한 묘사도 중구난방이다. 그들이 다루는 요소와 깨달음에 따라 능력의 방향성이 완전히 달라져 버리기 때문이다.

'아니…… 사실 진짜 문제는 그런 게 아니지. 그 어떤 아트만을 데려와도 나와는 상황이 다를 테니까.'

나름 열심히 차크라를 수련해 왔지만 내 차크라 경지는 여러모로 정상이 아니다. 무공으로 치면 내공만 한 100갑자쯤 있어서 휘두르는 수준에 불과한 것.

솔직히 말하자면 구 층의 차크라도 태반은 써먹지 못하던 상황이었다.

[뭐가 어떻게 된 거야? 여기 왜 이렇게 넓어졌어?]

"천원을 정복했으니까."

[아니 그래도 그렇지. 이렇게 넓어지는 건…….]

혼란스러워하는 히페리온을 두고 내 상태를 확인한다.

천원(天元)을 정복하면서 내 차크라 능력의 격(格)이

상승했다. 내면세계 하나만을 기준으로 하자면 지금의 나는 황제 클래스라고 해도 무방할 정도.

그러나 정말로 그런가?

'전혀…… 아니군.'

역량의 증가가 전혀 없다.

내면세계가 더 넓어졌으니 더 많은 요소와 더 높은 경지의 차크라 술식을 사용할 수 있게 되긴 했지만…… 최근에 술식으로 싸웠던 때가 언제였던가?

내 역량이 초월자에 도달하면서 차크라 능력은 사실상 곁다리에 불과하게 되었다. 그나마 요소 무공(武功)이 천문에 도달해 전력 상승에 기여하는 정도.

'차크라 용량은 구 층 때에도 남아돌았고…… 솔직히 차크라 경지에 비해 술식 역량이 너무 떨어져.'

그러나 이제 와서 술식을 수련해 봐야 어느 세월에 초월급까지 성장시키겠는가? 농담이 아니라 수십 년을 수련해도 장담할 수 없다.

[저기, 나는 바다로 보내 줘.]

"왜 그러는데? 여기에서도 잘 지냈었잖아."

히페리온은 나와 연결된 검령(劍靈)으로서 내 심상 안이라면 어디에라도 있을 수 있었다.

지금이야 대해에서 소설이나 보며 시간을 보내긴 하지만, 원래는 내면세계가 제자리인 것.

그러나 그녀는 고개를 흔들었다.

[지금까지와는 달라…… 여기에 못 있겠어. 빨리…….]

어쩐 일인지 극도로 초조하고 불안해 보이는 모습에 그녀의 어깨를 잡는다.

팟!

대해로 넘어오자 초조해 보이던 그녀의 얼굴이 풀어진다.

[휴…… 훨씬 나아. 고마워.]

"……진짜 심각한가 보네."

평소와 전혀 다른 태도에 나 역시 진지해진다. 아무래도 이번에 확장된 내면세계가 그녀에게 강한 압박감을 주는 모양.

'앞으로는 대해에 머물게 하든지 아니면 마검으로 돌려보내야겠다.'

물론 소설에 맛들인 녀석이기에 마검으로 돌아가지 않을 가능성이 크긴 하다.

팟!

내면세계로 돌아와 끝없이 펼쳐진 백색의 공간을 둘러본다.

"뭐…… 예상은 했지만."

쓰게 웃는다.

"넓어진 게 끝인가."

황제급 클래스 올 마스터에 대해서는 엄청난 기대를 했던 반면. 천원의 정복은 밀린 숙제를 해결하는 기분으로 수행했다.

무량구층의 구조를 벗어난, 흔히 십 층이라 불리는 경

지는 황제 클래스의 차크라 능력자나 가질 수 있는 것이지만…… 그에 걸맞은 차크라 역량이 없는 이상 반쪽짜리에 불과하다는 사실을 알고 있었기 때문이다.

"뭐 그래도 강해진 것만은 틀림없지. 무공도 무공이지만. 이걸 활용할 방법도 찾아 봐야겠어.하지만 그 전에……."

중얼거리며 슬쩍 자세를 낮춘다.

"일단 여기가 얼마나 큰지 확인해야겠다."

쾅- 쾅 - 쾅!!

무지막지한 기세로 질주한다.

음속을 아득히 뛰어넘는 속도로 한참을 질주하자 새하얀 세상을 가로막고 있는 거대한 벽이 모습을 드러낸다.

초월적인 감각에 불투명한 돔 형태의 공간이 느껴졌는데, 그 크기가 보통이 아니다.

"이게 뭐야. 천 킬로미터도 훨씬 넘겠는데……."

그 정체를 파악하기는 그리 어렵지 않았다.

"아르데니아……."

소우주로서 독립차원으로 존재하던 아르데니아가 내면세계로 들어와 버렸다. 손을 대 표면을 만져 보자 별문제없이 안과 밖을 오갈 수 있다는 것을 알 수 있었다.

"……좀 더 가 보지."

아르데니아를 두고 계속 전진한다.

천 킬로미터, 만 킬로미터.

'크다.'

가속한다. 전력을 다해 달려리자 순식간에 수십만, 수백만 킬로미터를 넘어 수천만 킬로미터에 이른다.

그리고 마침내 1억 킬로미터.

결국 발걸음을 멈추고 말았다.

"……아니 아무리 물리세계가 아니라 해도 이건 너무한 거 아닌가?"

순간 공간이 무한히 펼쳐진 게 아닐까 하는 생각까지 들었지만 점점 내 인식 범위 안에 들어가는 내면세계의 [시야]는 그것이 사실이 아니라는 사실을 알려 주고 있었다.

쾅! 쾅! 콰콰쾅!!

광속에 준하는 속도로 끝없이 돌진한다. 현실과 달리 부담이 훨씬 적다.

이곳은 물질계가 아닌 나의 내면세계.

이곳에서 나는 반쯤 신이나 다름없는 존재다.

쿠구궁!!

천둥벼락 소리와 함께 질주한다. 다행인지 불행인지 3억 킬로미터쯤 이동하니 공간의 끝에 도달한다.

"와…… 아르데니아에서 누가 나온다고 해도 끝까지 올 일은 거의 없겠는데?"

지구에서 태양까지의 거리가 1억 5천만 킬로미터라는 걸 생각해 보면 실로 무시무시한 넓이.

그리고 그렇게 도착한 세상의 끝에는,

눈부시게 빛나는 거대한 항성(恒星)이 있었다.

"……태양?"

이해할 수 없는 광경이다. 왜냐하면 그 태양은 내 내면세계가 아니라 [그 너머]에 자리하고 있었기 때문이다.

내면세계 밖의 존재이기 때문일까? 나는 여기까지 달려오는 동안에 아무런 빛도 열도 느끼지 못했다.

"아니 무엇보다…… 내 내면세계에 어떻게 [밖]이 있을 수가 있지?"

의아해하며 공간의 끝에 손을 올린다.

손을 대자마자 안의 정보가 느껴지던 아르데니아와 달리 차원의 끝은 내 감각을 완전히 차단했지만…… 그럼에도 불구하고 느껴지는 것이 있었다.

[@!#!@$!@#]

이해할 수 없는 소음이 머리를 울린다. 정신을 집중해 그것을 해석하려 노력했다.

[아작!@#디어드!@$좀@$이보!@#$]

한참이나 집중한 결과는, 저 거대한 항성에게 명백한 의지가 존재한다는 점이다.

최종적으로 정리된 정보는.

見.

"날…… 보고 있어?"

내면세계 밖으로 보이는 거대한 행성은 아무런 답이 없다.

그러나 짐작 가는 정체가 있었다.

"설마…… 저게 [그녀]인가?"

하기야 애초에 인간이 아닌 존재니 항성의 형상을 가지고 있더라도 이상할 게 없다. 무엇보다 여기는 물질계가 아닌 내면세계가 아닌가? [상징]이라면 어떠한 모습을 하고 있어도 이상할 게 없다는 소리.

'아니…… 좀 다른가? 여기까지는 내면세계가 확실한데…… 저 [밖]은?'

의아해하는 순간이었다.

훅.

이글거리던 항성이 삽시간에 멀어지기 시작한다. 본디 거대한 것들은 아무리 빨리 움직여도 느릿느릿해 보이는 법인데, 태양만큼이나 거대한 그것은 삽시간에 멀어져 그 모습이 타이어, 볼링공, 사과, 탁구공 크기까지 작아질 정도로 빠르게 멀어진다.

그리고 다른 것들이 모습을 드러낸다. 행성, 위성, 항성을 중심으로 회전하는 수많은 천체들.

"태양계(太陽系)……. 아니 항성계(恒星系)인가?"

당혹스러워 하는 와중에도 그것들은 계속 멀어진다.

훅.

수많은 항성계(恒星系)들이 시야를 가득 채웠다가 똑같

이 멀어진다. 어느새 맨 처음 시야를 가득 채웠던 항성은 수천억 별빛 중의 하나일 뿐.

그러나 계속 멀어진다. 수많은 별들이 속해 있는 은하계가 모습을 드러내고, 그 은하들이 모인 은하군(銀河群)이 나타난다.

시점을 점점 멀어진다. 은하군마저도 끝없이 멀어지며 초은하단(超銀河團)이 모습을 드러낸다.

그리고 그러고도 계속 멀어져서…….

"맙소사."

우주가 펼쳐진다. 나는 내면세계의 끄트머리에서 멍하니 그것을 보았다.

우주의 모습을 본 적은 많다. 이제 와서 우주의 광활함에 압도될 이유 따위는 없겠지.

문제는…… 그것이 단순한 우주가 아니라는 것이다.

멀어진 별들이.

하나의 [형상]을 취하고 있다.

"미친……."

수없이 많은 별들로 이루어진 초은하단이 풍성한 머리카락처럼 늘어져 있다.

수천억, 수천조 개의 별들이 날렵한 콧대와 살짝 지켜올라가 있는 눈매를 그린다.

그것은 작은 소녀.

그녀는 허리를 숙여 나를 내려다보고 있다. 그녀의 눈이 가늘어지는 광경은, 눈썹이 수 센티 움직인 것이 아니라 수천 개의 은하들이 수천만 광년을 이동해 만들어 낸 결과물.

"아."

나는 멍하니 내면세계 너머를 올려다 보았다.

우주 그 자체나 다름없는 그녀가 나를.

들

여

다

보

고.

"재연아!!"

"……."

강철로 만들어진 큐브 안에서 눈을 뜬다. 잠시 멍하니 있던 난 혼란스러운 와중에도 내가 강철계에서 로그인했다는 사실을 떠올릴 수 있었다.

[깨어났군요. 몸 상태는 괜찮으십…….]

지니의 말을 끊으며 오룡이들이 달려든다.

멍하니 중얼거린다. 수천억, 수천조 개의 별들로 이루어진 불가해(不可解)한 존재의 모습이 떠오른다.

'미친…… 진짜 미쳤군.'

이건 격이 다른 수준이 아니다.

그야말로 차원이 다른 존재.

그녀처럼 [거대한] 존재가 나같이 하찮은 존재를 인식

할 수 있는 게 납득이 안 될 정도다.

"그녀…… 인가?"

"정신 차리자마자 뭔 그녀야?"

날카로워지는 목소리에 고개를 흔든다.

손을 뻗어 목덜미를 만지니 줄줄 흐르는 식은땀이 느껴진다 . 아니, 사실 그것은 식은땀 정도가 아니다.

절대 영도의 한기(寒氣)였다.

쩌저저적!!

치이익!!

몸에서 증기가 뿜어진다. 마그마처럼 끓어오르는 육신을 극한의 냉기가 식히고 있었다.

파지지지직!!

콰릉!

엉망으로 뒤섞인 감각은 천둥번개가 되어 사방으로 튄다.

"이건, 또 뭐야?"

이제 보니 속성력이 미쳐 날뛰고 있다. 오룡이 모여 결계와 주문으로 내 몸을 둘러싸지 않았다면 내 몸에서 쏟아져 나온 속성력이 주변을 파괴하고 있었을 것이다.

"진정하고 차분하게 힘을 조절해 보세요. 모두 재연 씨에게 귀속된 힘이에요."

플라워의 말에 고개를 끄덕이고 눈을 감는다.

이 폭주 아닌 폭주는 극의지체를 완성하며 육신에 깃든 화점의 속성력이 넘쳐 나며 벌어진 현상.

안구에 깃든 빛이, 폐에 깃든 바람이, 혈액에 깃든 냉기와 근육에 깃든 불꽃이, 간에 깃든 독기가, 피부에 깃든 나무가, 뼈에 깃든 철이 미쳐 날뛰고 있다. 심지어 추가된 속성력까지 존재한다.

쩌저적!

손을 내뻗는 것만으로 허공에 얼음으로 만들어진 거울이 생겨난다. 나는 거울에 비친 내 모습을 보고 헛웃음 지었다.

"와, 여러모로 인간이 아니네. 진짜."

두 눈에서 빛이 줄줄이 흘러나와 하늘로 솟구치고 있다. 머리칼에는 어둠이 깃들어 마치 쉐도우 드래곤 어둑서니의 그것처럼 세상을 덧칠하고 있다.

피부에서는 싹이 돋아나고, 그렇게 돋아난 싹에서 번개와 냉기가 흘러나온다.

"후……."

가부좌를 취하고 앉아 정신을 집중한다. 초월지경에 이른 극의지체와 절대고수로서의 전투 능력이 너무나 강력해 후순위로 밀려 있었을 뿐 속성력 또한 꽤 오랫동안 다뤄 온 나였기에 30분 남짓 힘을 추스르자 어느 정도 힘을 안정시킬 수 있었다.

고오오…….

"오오. 가라앉는다. 아니 대체 무슨 속성력이 이렇게 다양해?"

"이게 무슨 일인지……."

"그나저나 뭔가 엄청 달라진 거 같지 않아? 이 기운은…… 차크라인가?"

"아니, 진짜 거기에서 더 성장한다고?"

"대체 얼마나 변한 건지 가늠이 안 돼. 이런 일이 가능하다니……."

오룡이들이 수군거리는 소리를 들으며 내 상태를 관조한다.

몸 안의 속성력이 폭주한 이유를 알아내기는 어렵지 않았다.

'마지막 화점이 정복되며 암속성과 함께 모든 속성의 격이 올랐어.'

그렇다.

정복이 완성된 모든 화점이 공명하며…… 9개의 속성 전부의 천문(天門)이 개방된 순간이었다.

'마지막 화점이 정복되며 암 속성과 함께 모든 속성의 격이 올랐어.'

그렇다.

정복이 완성된 모든 화점이 공명하며…… 9개의 속성 전부의 천문(天門)이 개방된 순간이었다.

'괴물이 따로 없군.'

속성력을 다룬 지는 꽤 오래 되었지만 그 수준이 초월급이라는 건 전혀 다른 차원의 문제다. 아트만급 차크라 사용자도 천문을 여는 속성은 한 개 정도에 불과한데 9속성 초월이라니.

'여전히 황제 클래스는 아니지만…… 이 정도면 하급 초월자 중에는 상대가 거의 없겠는데?'

9속성 초월은 사실상 존재하는 대부분의 속성에서 자유롭다는 뜻이다. 만약 상대가 원소술사라면 설령 그 경지가 초월에 이르렀다 해도 내 앞에서는 어린애에 불과한 존재가 되리라.

'게다가 천문을 연 요소가 무공까지 10개라면…… 내가 술식 역량이 아무리 모자라도 무지막지한 결과물을 만들 수 있겠지.'

농담이 아니라 동시 개방을 9중첩, 10중첩으로 할 수 있다는 말이 아닌가? 차크라 용량이 끔찍하게 필요할 테지만 10층에 도달한 내면세계는 여유롭게 그것을 충당할 수 있어 보였다.

'물론 그런 고난이도의 술식을 내가 감당할 수 있냐는 문제가 있으니…… 천천히 확인해 봐야겠지.'

그렇게 생각을 정리하고 있을 때였다.

"정말이지…… 재연이 너 34지구에서 태어난 게 다행인 줄 알아."

"느닷없이 무슨 소리야?"

루비의 말에 의문을 표하자 눈을 가늘게 뜬 채 나를 응시하던 사파이어가 말을 받았다.

"정말…… 확연히 강해졌어. 초월자쯤 되면 100년 동안 레벨 하나도 못 올리는 경우가 허다한데……."

"너무 예외적이에요. 솔직히 재연 씨가 드래고니안의

지배 영역에서 살고 있었다면…… 재산이 아무리 많고 입지가 대단해도 벌써 옛날에 잡혀 가서 생체 실험을 당하고 있었을 거예요."

"그런가……."

하긴 누가 봐도 내 성장 속도는 정상이 아니다. 34지구 사람들이야 게임 마스터라는 우주적 예외를 접해 왔기에 그러려니 하고 넘기지만, 사실 그와 내 입장은 전혀 다르다.

최상급 신의 신혈을 이은 [선천신족]이라는 근거가 존재하는 게임 마스터와 달리 나는 그저 인간이기 때문이다.

'보통의 인간이 서른 살도 안 돼서 초월지경에 이르는 경우도 우주적으로는 종종 존재하지만…… 그 이후에도 나처럼 쑥쑥 성장하는 경우는 드물겠지.'

[사실 지금도 납치를 노리는 세력들이 많기는 합니다. 심지어 게임 마스터님께 '양해'를 구해 온 미친놈들도 있었지요.]

느닷없이 끼어드는 지니의 목소리에 눈을 가늘게 뜬다.

"양해요?"

[좀 건드릴 건데 눈감아 줄 수 있냐는 말이죠. 물론 거절했습니다.]

"허허……."

절로 헛웃음이 나온다. 초월자 중에서도 상위권 이상의

전력을 가진 나인데 그런 취급이란 말인가?
“그냥 습격하는 것도 아니고 요청할 정도면 최상급 신무서운 줄은 아는 모양이긴 하지만…… 건방지네요.”
“완전 미친놈 아니야? 누군데 그거?”
“제법 큰 세력인 모양인데…….”
오룡이들의 분노에 지니가 웃었다.
[후후후.]
“……왜 웃지?”
[흠. 아뇨. 요청을 한 세력이 세 군데인데.]
거기까지 말하고 다시 오룡이를 보더니 싱긋한다. 그녀가 구체적으로 그 세력이 어디인지는 말하지 않았지만 적어도 그중 하나가 어딘지는 분명하다.
‘드래고니안이네.’
그리고 오룡이들 또한 그것을 알아들었다.
“아, 그래. 그렇구나…….”
“하하…… 이거 참.”
“그렇단 말이지…….”
단번에 분위기가 스산해진다. 플라워가 지니를 향해 공손히 고개를 숙였다.
“이렇게 말하는 것도 부담이 될 텐데. 감사합니다. 지니 씨.”
[네? 저는 별말 안 했는데.]
“물론이죠.”
싱긋 웃는 플라워의 얼굴에서는 평소 그녀에게선 찾아

볼 수 없는 살기가 넘실거린다.

'와. 이거 괜찮은 건가?'

그녀들이 그냥 평범한 성룡이라면 상관없겠지만 그녀들은 원시룡(元始龍) 크로매틱 드래곤이다.

나이가 강함+사회적 지위인 드래곤 사회에서 노블레스 원로원(元老院)의 수장 자리에까지 올랐던 존재.

'뭐 그래도 정체를 숨기는 중이니 적당히 하겠지…….'

그렇게 생각하며 묻는다.

"거절했으니 문제는 없는 겁니까?"

[적어도 거대 세력이 노리는 경우는 없을 거예요. 게임 마스터님은 정보계 권능이 있으니 감히 완전 범죄를 노릴 수는 없거든요. 다만 주제 파악이 안 되는 천둥벌거숭이가 있을 수 있으니 너무 방심하시지는 말고요.]

"조언 고맙습니다."

자리에서 일어난다. 가만히 있다 보니 난잡하던 감각이 서서히 정리된다.

끼이익! 그그극! 치이익!

인간의 육신보다는 공사장에서나 들릴 법한 굉음이 점차 사그라진다. 초월의 경지에 도달한 속성력이 통제하에 들어온 것.

다만 문제가 있었다.

"이런……."

나는 얼음 거울을 보고 신음했다. 모든 속성을 제어하는데 성공했지만…… 두 속성만은 그 모습을 감추는 데

실패했기 때문이다.

빛과 어둠.

처음처럼 눈에서 빛이 줄기줄기 흘러나오고 어둠이 사방으로 뻗치는 정도까지는 아니지만 눈이 과하게 빛나고 머리칼이 빛을 빨아들이는 형질을 지니는 것까지 막을 수는 없었다.

"이게 뭐야……."

기막혀 했지만 오룡이들의 평은 다르다.

"왜, 멋지지 않아? 애니메이션 캐릭터 같다."

"머리칼은 약간 쉐도우 드래곤 느낌이네."

내 주위로 모여 재잘대는 오룡이들을 보다 캡슐에서 빠져 나온다.

단번에 9개의 차크라가 열리며 몸 상태가 엉망이었을 텐데도 금세 회복된 건 대우주 최고 수준이라는 강철계의 설비 덕분이리라.

"그럼 가 보겠습니다."

[좋은 거래였어요. 물량이 쌓이면 다시 연락드릴게요.]

"하하. 이제는 돈이 없어서."

멋쩍게 웃고는 게이트를 지나 강철계를 빠져나온다.

그리고 생각한다.

'그래. 돈이 없지…….'

지금의 나는 빈털터리다. 물론 능력이 있으니 벌려고 하면 금방 벌 수 있겠지만…… 몬스터 사태로 용병업이 지지부진한 상태니 수익이 크게 줄겠지.

사실 1조 3000억을 번 것도 주식이 올라서 가능했던 일이 아닌가?

"체다."

"야옹!"

체다를 불러 리벤지를 켠다. 정신을 잃는 바람에 취소되었던 자동 사냥을 위해서였는데 뜻밖의 메시지가 뜬다.

[서버 접속 대기]

서버가 혼잡합니다. 잠시만 기다려 주세요.

대기 순위 : 18만 6991명.

"아, 개소리 말고……."

대중을 상대로 하는 흥겜이면 몰라도 소수의 유저를 상대로 뽑아먹는 리벤지가 무슨 서버 혼잡이란 말인가?

"왜왜? 무슨 일인데?"

"리벤지가 안 켜져서."

내 말에 루비가 고개를 끄덕인다.

"아! 재연이가 평소에 하는 그 게임 말이지? 요번에 대단위 업데이트를 해서 사람이 엄청 몰렸다고 하더라고!"

"아니, 아무리 몰려도 그렇지."

"외계 진출도 했다던데? 동시 접속자 6천만 명을 달성했데."

"……아니 뭐라고?"

내가 아는 리벤지의 최고 동시 접속자는 50만 명이다. 동시 접속자가 10배도 아니고 100배나 증가 했다는 말이다.

'아니 이렇게 되면 주식이…… 어떻게 되는 거지?'

반사적으로 주식 앱에 손을 가져갔다가 멈칫한다.

주식을 보면 또 뭘 할 것인가? 어차피 주식도 현금도 없는데.

"……."

잠시 망설이다 주식 앱을 아예 삭제해 버렸다.

'한동안 쳐다보지 말자.'

주식이 없으면 [패치]도 [업데이트]도 할 수 없지만 상관없다. 골드 아이템은 이미 충분히 비축해 둔 상황이고 지옥탑은 시간 제한 없이 박아 두었기 때문이다.

어차피 올 마스터는 머나먼 이야기니 한동안은 여유 있게 일하면서 상황을 지켜봐야겠다.

"그나저나 재연아! 이제 진짜 여행 가는 거지?"

"여행?"

"응! 수련이 성공적으로 끝났잖아!"

루비가 두 눈을 반짝이며 묻는다. 묻는 건 그녀뿐이지만 나머지 네 명도 기대에 찬 눈으로 날 바라보고 있다.

나는 피식 웃으며 고개를 끄덕였다.

"그래. 어차피 한동안은 쉴 생각이었어."

"와!"

"후후. 드디어 가는구나. 여기 수성(水星)에 있는 아쿠아 호텔이 그렇게 근사하다던데."
"내일 모레부터 쭉 휴가야! 준비해서 가자!"
"후후. 정말 기대돼."
"도시락도 싸 둬야겠어요."
활기찬 오룡이들과 스타 드래곤으로 돌아가며 문득 생각한다.
'그나저나…… 게임 클리어가 되면 아르데니아는 어떻게 되는 거지?'

＊ ＊ ＊

"아깝군…… 하나 더 정리할 수 있었는데."
우주 최고의 학문기관, 우로보로스의 교수 멀린은 차원의 문을 지나 자신의 내면세계로 복귀했다.
차크라 경지가 10층에 이른 데다 9속성의 천문이 열리며 엄청난 전력의 상승이 있었음에도 새로운 게임의 [규칙]을 이겨 낼 수는 없었기 때문이다.
"하. 보스만 늦게 왔으면 어떻게든 되었을 텐데…… 아니 아무리 공포 게임이라고 해도 그렇지 가진 힘을 다 봉인시켜 버리면 게임을 어떻게 하라는 거야?"
투덜거리며 내면세계의 끝에 선다.
내면세계 너머로 [그녀]의 모습이 보인다.
"다시 봐도 무시무시하네……."
창조신과 동격이라는 그녀의 존재는 대우주의 그 어떤

존재도 감히 그 앞에 이름을 내밀 수 없을 정도다.

천신이나 마신, 명왕이나 옥황상제 같은 차원의 지배자들조차 그녀의 앞에서는 어린아이에 불과하겠지.

멀린이 창조신의 인정을 받아 [룰북]을 받았다 해도 그녀 앞에서는 아무런 소용이 없다. 이 세상의 규칙을 강제하는 룰북은 그녀에게도, 그녀의 피조물에게도 아무런 효과가 없기 때문이다.

'그나저나…….'

멀린은 다시 [그녀]를 바라보았다.

처음 봤을 때에는 정신이 나가는 게 아닐까 싶은 압박을 느꼈지만 이제는 그 정도는 아니다. 왜냐하면 그녀의 [시선]이 그를 향하고 있지 않았기 때문이다.

그렇다. 그녀는 다른 곳을 보고 있다.

"나도 꽤 번갈아 봤던 거 같은데…… 꼼수 때문에 흥이 식었나 보네."

사실 멀린은 다크 스타를 클리어 하는 게 불가능한 상황이었다. 리벤지와 달리 다크 스타는 현실의 능력을 쓰기가 어려운 게임이었기 때문이다.

때문에 멀린은 자신의 비밀 병기, 에디터 블레이드를 활용해 단번에 보스룸으로 진입했다.

그것은 일종의 글리치(glitch. 짧은 순간 일어나는 시스템 오류.)를 활용한 꼼수.

리벤지의 보스를 돕기 위해 자리를 비웠던 다크 메시아는 제대로 된 저항조차 못하고 보스룸을 돌파당하고 말았다.

"뭐, 저런 거한테 관심 받아 봐야 무섭기만 할 뿐이지."

어쨌든 소득은 컸다.

그는 다크 스타를 클리어 함으로써 10층의 차크라 용량을 획득했으며 대우주 전체에 쏟아지던 몬스터들 중 다크 스타 출신의 몬스터를 다 없애 버릴 수 있었으니까.

심지어 직후 리벤지 출신의 몬스터까지 소멸했으니, 몬스터로 인해 신음하던 대우주가 한숨 돌릴 수 있는 상황이 되었다.

'다만 여전히 10개의 게임이 남아 있단 말이지…… 게다가 [게임 클리어]도 문제야.'

다크 스타가 클리어 되었다.

사실 말이 안 되는 이야기다. 온라인 게임에 게임 클리어가 어디 있단 말인가?

'게임이 망해서 서버를 한 번 닫을 때에나 가능한 말이지.'

다행히 다크 스타의 [클리어]는 그런 식으로 작동하지 않았다. 다크 스타의 [월드]와 게임 능력이 사라지거나 하지는 않았다는 말.

대신.

"괴물이다! 괴물이 나타났어!"

"흥! 그까짓 괴물 놈! 듀얼로 상대해 주마!"

다크스타의 외곽에서부터 끔찍한 형태의 괴물들이 모습을 드러내기 시작한다.

그렇다.

게임과 게임 사이의…… 연결이 시작되었다.

* * *

오룡이들은 드래곤 스타로 돌아오자마자 바쁘게 흩어졌다. 14박 15일 여행을 가려면 처리해야 할 일들이 많은 모양이다.

'그러고 보니 요새 오룡이들이 바쁘네.'

물론 아이돌이라는 게 원래 바쁜 직업이긴 하다. 시즌에는 분 단위로 스케줄을 조정해야 하는 게 바로 아이돌이라는 직종이 아니던가?

물론 오룡이들은 일반적인 아이돌이 아니다.

'초월 아이돌이지.'

그녀들은 돈과 인기에 연연하지 않는 존재다. 일반적인 아이돌과 달리 팬에게도 안티팬에게도 휘둘리지 않는 건 그녀들 각각이 막대한 재산과 무력을 가지고 있기 때문이다.

'진정한 의미에서의 우상(idol)에 걸맞은 존재라 할 수 있겠지.'

그녀들이 춤을 추고 노래를 부르는 건 돈과 인기를 벌기 위해서가 아니라 단지 그것을 좋아하기 때문이다.

말 그대로 하고 싶을 때만 해도 충분한 입장. 마음이 바뀌면 내일이라도 아이돌을 관둘 수 있으니 다른 아이돌과 달리 팬들이 절절 맬 수밖에 없다.

"뭐 뭔가 하는 게 있나 보지."

대충 그렇게 넘기고 거실 소파에 눕는다. 주식 사는 걸 그만두고 나니 당장 수입이 급하지 않은 상황. 몸 상태도 진정시킬 겸 잠시 쉬며 리벤지나 돌릴 생각이다.

"어디 보자…… 오. 레이드 릴레이가 1시간 후네."

열심히 자동 사냥을 돌고 있던 킬리어스를 도시로 귀환시키려 할 때였다.

슥.

문득 드는 직감에 고개를 든다.

팟!

공간을 넘어 흑발의 사내가 드래곤 스타에 진입한다. 오룡이와 나를 제외하고 유일하고 드래곤 스타에 마음대로 들어올 수 있는 존재. 쉐도우 드래곤 어둑서니다.

'별로 체감을 못했는데…… 감각이 미쳤군. 극의지체라 감각이 둔화되었을 텐데도 이 정도라니.'

차크라 십 층이 열린 효과가 단순히 내면세계가 넓어진 정도가 아닌 모양이다.

"헛? 한재연?"

나를 발견한 어둑서니가 깜짝 놀란다. 나도 놀랐다.

'왜 놀라지?'

"어떻게? 감지되지 않았는데."

어둑서니가 믿을 수 없다는 표정으로 나를 가만히 바라보았다.

이내 그의 얼굴이 충격으로 일그러진다.

"하하…… 말은 들었지만 기가 막히는군."

"어둑서니 님?"

의아해하는 나를 한참이나 응시하던 어둑서니가 헛웃음 지으며 단언한다.

"너, 나보다 강하군."

"……."

대답하지 않았지만 그는 이미 확신하고 있다. 하긴 우리 수준쯤 되면 객관적인 정보를 넘어서는 초월적인 직감이라는 게 있기 마련이다. 물론 직감은 직감일 뿐이니 진짜로 싸워 보면 결과가 다를 수도 있지만…… 대체로 직감이 맞는 편이다.

'하기야 기막히긴 하겠군.'

어둑서니는 노블레스 중에서도 왕족에 가깝다는 쉐도우 드래곤이다. 자신보다 나이가 많은 고룡보다도 강한 경우가 많았을 텐데 고작 인간, 그것도 초월자가 된 지 얼마 되지도 않은 애송이가 자신보다 강해진 상황인 것이다.

"아직 깨달음을 완전히 수습하지는 못했습니다."

"……하하. 미쳤군, 진짜. 이건 비범한 수준을 넘어서는데."

어둑서니가 성큼 다가와 내 앞에 마주 앉는다. 항상 정중한 태도를 견지하며 나와 거리를 두던 때와는 다른 반응이다.

팟!

어둑서니가 허공에서 캔 음료를 하나 꺼내 꿀꺽꿀꺽 마시더니 캔을 던져 버리고는 입을 열었다.

“알고 있겠지만 F·D는 드래곤 사회에서 미성년자다. 보호받아야 할 존재지.”

“아. 네 물론…….”

“물론.”

내 말을 끊어 버리고는 그가 말을 잇는다.

“물론 나도 알고 있어. 그녀들은 초월자고…… 일반적인 용종이 아니지. 원로원의 반응이나 그녀들의 태도를 보면 이상한 점이 너무 많다. 내가 그걸 모를까.”

“…….”

하기야 외부인도 아니고 어둑서니는 오룡이들의 매니저로 항상 그 곁에 붙어 있는 입장이다. 나처럼 비밀을 목격하지 못했다 해도 뭔가 이상하다는 것 정도는 알 수 있겠지.

어둑서니가 말했다.

“네가 좋은 놈이라는 걸 안다. 성실하고 불굴의 의지를 가지고 있지. 솔직히 그걸 감안하더라도 이해가 안 가지만…… 저 까다롭던 F·D 녀석들이 괜히 마음을 주지는 않았겠지.”

약간은 지쳐 버린 목소리로 말을 잇는다.

“하지만 조심해라.”

“어떤 걸 말입니까?”

"용들."

사실 예전부터 걱정하던 문제다. 오룡이가 보통의 드래곤이면 소설이나 영화에 흔히 나오는 용과 인간의 사랑 정도로 한 차례 시끄럽고 끝나겠지만, 그녀'들'은 결코 보통의 드래곤이 아니기 때문이다.

그녀의 [외부적인 정체]도 [진짜 정체]도 용들이 절대 나를 용납할 수 없게 만들기에 부족함이 없다.

"F·D는 처음부터 우주 활동을 한 게 아니야. 그녀들은 드래고니안을 다 재패하고 우주로 진출했다."

"팬들이 많다는 말이군요?"

"그 정도가 아니다. 그녀에게 열광하는 애송이들의 숫자는 상상을 초월하고…… 원로원의 어르신들도 그녀들에게 껌뻑 죽지. 이해할 수 없을 정도로."

"위아래로 다 문제다……."

내 말에 어둑서니가 고개를 끄덕인다.

"그래. 솔직히 널 살아 있는 시체 정도로 이해하고 있었는데 이제는 잘 모르겠군. 어차피 이렇게 막 강해질 거라면 아예 우주적인 강자가 되어서."

거기까지 말한 어둑서니가 멈칫한다.

그리고.

"……하하! 하하하! 나도 참 말도 안 되는 소리를…… 하하하!"

한 번도 들어 본 적 없던 웃음소리를 내며 자리에서 일어난다.

"솔직히 좀 짜증나지만……. 그래도 F·D가 슬퍼하는 모습을 보고 싶지는 않군."

새까만 머리칼의 절세 미남이 고개를 절레절레 흔든다.

"죽지 마라, 한재연."

그 말을 끝으로 어둑서니가 사라진다.

"흐음. 이거 참."

나는 거실에 혼자 앉아 쓴웃음을 지었다.

'오룡이 녀석들.'

크로매틱 드래곤이라는 정체와 별개로 오룡이들은 내게도 소중한 존재다.

그녀들을 좋아한다. 어찌 그렇지 않겠는가?

아름답고 매력적인 데다 전력을 다해 날 가르치고 케어하는, 내가 하는 모든 일을 두 팔을 뻗고 나서서 돕는 이성을 싫어하는 존재가 있다면, 그는 틀림없이 정신 어딘가에 문제가 있는 정신병자일 것이다.

'하지만 그 대신 용족들과 충돌할 수 있다는 말이지.'

결코 만만치 않은 반대 급부였지만 당연히 오룡이들과의 관계를 무너트릴 생각은 없다.

상대가 강하다고 수그릴 거면 뭐 하러 목숨 걸고 수련하는가? 왜 죽어라 일을 하겠나? 그렇게 살 거라면 언제든지, 얼마든지 무난하게 삶을 영위할 수 있었다.

'최악의 상황에는 아르데니아에서 한 100년쯤 수련하다 나오지 뭐.'

그렇게 생각하며 체다를 무릎 위에 올린 난 자동 사냥을 뛰느라 소모품을 다 소모한 캐릭터를 도시로 귀환시켰다.

그리고 멈칫한다.

"……이게 뭐야?"

리벤지의 필드는, 그리고 도시는 유저 풀에 비해 과하게 크게 책정되어 있다. [네메시스 이것들이 고위 탈것을 팔아먹으려고 월드를 개념 없이 키운다!]라는 투덜거림이 괜히 나오는 게 아니었던 것.

그런데 그 과하게 큰 도시가.

수많은 플레이어로 빽빽하다.

"와…… 아니 그런데 복장들이 왜 이러지?"

기묘하게도 도시에 가득한 플레이어들 전부가 누더기 옷을 걸치고 있다. 잘 보니 웬만하면 아름답고 빼어나기 마련인 캐릭터들의 외모가 극도로 평범하거나 심지어 못생기기까지 하다.

나는 그들 근처로 다가가 보았다.

한스 : 멋지군…… 이토록 화려하고 웅장한 도시라니…….

장덕수 : 저 사람들 좀 보시오. 아름답고 멋지군. 게다가 전해지는 힘이 하나같이 엄청난 것이…….

케플라 : 말은 들었지만, 그야말로 별세계로군…….

"아니 이 사람들 말하는 게 왜 이러지? 아이디도 그렇고. 단순 과몰입이라기에는 좀 이상한데…….”

그들은 단검 한 자루를 들고 초보자 사냥터로 달려가기도 했지만, 대부분 도시를 돌아다니며 구경했다.

나는 주위에 있던 플레이어들에게 다가갔다.

킬리언스 : 저기요. 저기요.

일성의노예 : 아 왜…… 어 이 아이디, 헉! 한재연 님 아니세요? 팬이에요!

킬리언스 : 하하 네 감사합니다. 그런데 지금 이게 무슨 일이죠? 저 사람들은 뭐예요?

일성의노예 : 아 도시 오랜만에 오시는군요? 신규 유저들이에요.

킬리언스 : 그건 보면 알긴 하겠는데 뭔가 말하는 게 이상해서요.

일성의노예 : 아. 요번에 서비스 지역을 확장했다고 하더라고요. 42개 행성에 추가로 서비스 한다던데…….

“……아니 42개?”

어이가 없어 멈칫한다. 말이 안 되는 규모와 진출 속도였기 때문이다.

게임을 하나의 행성에 새로 런칭을 하려고 해도 대대적인 광고와 여러 가지 협의를 거치는 게 정상인데 단번에 42개 행성이라니.

일성의노예 : 흠. 잘은 모르겠는데 가난한 행성들인 모양이에요. 게다가 다들 서번트 캐릭터도 없이 아바타 캐릭이라서 외모도 현실하고 똑같은 모양이고요.

킬리언스 : ……기묘하네요. 답변 감사해요.

일성의노예 : 네! 즐겜하세요!

친절한 플레이어와 헤어진 후 잠시 주변을 둘러본다.

"가난한 행성들이라."

이해할 수 없는 일이다. 리벤지는 부유하기로 유명한 34지구의 플레이어들조차 혀를 내두를 정도로 살인적인 과금 게임이기 때문이다.

차라리 새로운 서버를 만든다면 모르겠지만 기존 월드에 편입시킨다니?

'34지구의 물가는 외계 문명들이 감당할 수 없는 수준일 텐데.'

다른 문명의 플레이어는 설사 그가 재벌이라도 리벤지의 과금을 감당하기 쉽지 않을 것이다.

'사실상 수익이 거의 없을 텐데 이렇게 대폭 늘려 버리다니…….'

이해할 수 없는 행보였지만 그래도 기존 플레이어들의 분위기는 나쁘지 않다.

[깔아 주는] 플레이어들이 많아졌기 때문이다. 문제는 그 가난한, 심지어 후발주자이기까지 한 플레이어들이 대체 무슨 낙으로 리벤지를 플레이 하냐는 건데.

"……모르겠다. 알아서 잘하겠지."

의문을 떨치고 인벤토리를 정리한다. 이제 보니 귓속말과 쪽지가 밀려 있다.

"왜 이렇게 많지."

의아해하며 내용을 살핀다.

[최강일성]

안녕하십니까. 일성기업의 길드 마스터 김영범입니다. 이렇게 연락을 드리게 된 건 다름이 아니라…….

[마도지존]

안녕하세요! 마도지존입니다! 함께 천원을 정복할 인재를 구하고 있습니다! 도움을 주기로 한 길드들이…….

[일세대붉은곰]

경로당 길드의 일세대붉은곰이라고 하네. 이번 업데이트에 맞춰…….

이제 보니 죄다 헤드헌팅이다.

"화점의 길드 마스터들이 움직이는군."

최근에는 천원의 공성전 자체가 별로 없었다. 고위급 플레이어들이 힘을 합치기는커녕 서로 방해나 해 대니 그냥 시도조차 안 하던 상황.

그러나 대규모 업데이트가 진행되고 신규 유저가 대폭 늘면서…… 길드 마스터들이 더욱 적극적으로 움직이기 시작한 모양이다.

"결국 천원이 정복될 때가 된 건가."

나름 역사적인 순간이었지만 별 관심 없다. 리벤지에서 올 마스터를 얻어 봐야 그걸 아르데니아로 가져가려면 업데이트가 필요하기 때문이다.

그리고 그 업데이트를 하려면 120조가 넘는 주식이 필요하다.

'아니, 이제는 120조도 아닐지 모르지…… 한 200조가 넘을지도.'

투덜거리며 쪽지들에 거절의 답을 보낸다.

귓말에도 답변을 보냈다.

↳킬리언스(귓속말) : 죄송해요 길마님 ㅠㅠ 한동안 너무 바빠서 자동 사냥만 돌려야 할 거 같아요. 적어도 보름은 지나야 여유가 생길 듯합니다.

↳아레스(길드 마스터)(귓속말) : 아쉽게 되었군…… 뭐 어쩌면 길어질 지도 모르니까 그때라도 부탁하네.

↳킬리언스(귓속말) : 넵!

역시나 거절이다. 어쩔 수가 없었다. 리벤지는 맨날 자동 사냥이나 돌리는 게임이지만 공성전은 각 잡고 꽤 긴 시간을 투자해야 하기 때문이다.

'그런데 그 공성전을 오룡이들이 벼르고 벼르던 14박 15일의 여행에서 한다는 건.'

"재연, 이 옷 좀 봐 보겠나?"

공간을 넘어 단아한 분위기의 드레스를 입은 블랙 드래곤 흑요가 모습을 드러낸다.

"오. 이쁜데? 어울려."

"후후. 역시 그렇겠지. 그래도 오늘은 여기까지다. 여행 가서 입을 거니…… 아. 일정 때문에 가 보겠다."

항상 차분하던 그녀가 씩 웃더니 사라진다.

잠시 후 공간을 일렁이며 나타난 건 블루 드래곤 사파이어다.

"재연 씨! 이거 어때요? 수성에서 수영할 때 입을 건데."

새파란 머리가 인상적인 사파이어는 천보다는 진주와 보석이 더 많이 들어간 수영복을 입고 있다. 그녀의 깨끗한 피부가 조명 아래에서 새하얗게 빛난다.

"섹시한데. 어디서 그런 물건을 구했어?"

"아주 예전에 만들었던 거예요! 후후. 기대되네요."

그렇게 말하더니 팟 하고 사라진다.

그녀들뿐이 아니다.

"재연아. 재연아! 내가 진짜 유명한 맛집을 예약했는데……."

"수성에 이식된 세계수가 요번에 꽃을 피운다고 하는데 괜찮으시다면 재연 씨도……."

"으으 너무 바쁘네요. 여행 가면 같이 낮잠이나 실컷 자요. 알았죠?"

그 바쁜 와중에도 오룡이들이 계속 들렀다 사라진다.

다들 기대감이 하늘을 찌르고 있다.

'……그래 역시 무리야.'

상황이 이런데 여행 중에 공성전을 한다?

그랬다간 아무리 차크라 10층을 열었어도 죽고 말 것이다.

다른 용족이 아니라, 원시룡(元始龍) 크로매틱 드래곤이 직접, 날 오체분시하게 될 테니까.

괜한 짓 말고 여행 가서는 자동 사냥이나 돌리는 게 합리적이리라.

"체다."

"야옹."

테이블 위에 배를 깔고 누운 체다의 배를 두들겨 레플리를 소환한다. 보통 사냥터로 복귀할 때 텔레포트 스크롤을 쓰지만 아르데니아 대륙 어디로든 단번에 이동이 가능하게 만드는 전략물자를 고작 게임에서 쓸 생각은 없다.

맵이 크다고 해 봐야 신화급 펫 레플리라면 5분 안쪽으로 대륙의 중심부로 이동할 수 있으니 더더욱 그렇다.

보리차마시다사레들림 : 오오 레플리. 개간지.

고라니슛 : 신화급 펫 시야 다가림 ㅋㅋㅋ 사이즈 진짜 장난 없네ㅋㅋㅋ

보리차마시다사레들림 : 부럽다…… 신화는 그만두고 카심 정도만 얻을 수 있어도 온 세상에 자랑하고 다닐 텐데.

늘 그랬듯 유저들이 호들갑을 떤다.

'그럴 만하지.'

리벤지에는 수많은 플레이어가 존재하지만 그중에서 신화급 펫을 소유한 이는 스무 명 안쪽이다. 이마저도 신화의 시대(100억 뽑기 사태라고도 부른다.) 이후의 일이지 그 전에는 화점의 주인인 8명이 전부였을 정도.

그러나 그걸 감안하더라도 과한 리액션이 쏟아져 나온다.

토마스 : 드, 드래곤!?

권태환 : 가, 갑자기 드래곤이라니……!

하나 : 위, 위대한 존재시여……!

도시를 정신없이 오가던 누더기 옷의 플레이어들이 우르르 자리에 엎드렸다. 그 맹렬한 기세에 기존의 플레이어들도 놀라서 발걸음을 멈춘다.

사과냥이폰 : 뭐야? 뭐임?

포세이돈 : 갑자기 왜들이래…… 플래시몹인가.

부캐중의부캐 : 저기 엎드려야 하나요? 갑자기 뭐지?

다른 플레이어들만큼 나도 당황했다. 왜냐하면, 누더기 옷의 플레이어들이 보이는 반응이 내게 매우 익숙한 종류였기 때문이다.

"아니 잠깐 이 반응……."

감상은 나만의 것이 아니다.

알릭스 : ……아니 컨셉이 좀 과한 거 아님?

기립 : 그냥 좀 가난한 문명이라고 들었는데…… 이건 그 정도가 아닌데? 하위 문명 아냐?

소령달기 힘들다 : 말이 안 되지 그건. 하위 문명 사람들이 우주 문명 게임을 하는 걸 성계신이 두고 볼 리 없잖아.

하나의 문명이 탄생하면 하나의 신이 탄생한다.

성계신(星界神).

흔히 별과 문명의 수호신으로 불리는 그들은 침묵하는 신으로도 불린다. 자신이 담당하는 문명을 돌보지도, 간섭하지도 않는 방관자적인 존재이기 때문이다.

그렇기에 그 엄청난 힘과 권능에도 대부분의 문명이 그 존재조차 깨닫지 못하지만…… 적어도 외계(外界)의 침입과 간섭에 한해서는 언터쳐블(상급 신)로서의 권능을 아낌없이 사용하고는 한다.

알릭스 : 그럼 진짜 컨셉인가?

스피드웨건 : 홈페이지 확인하고 옴! 요번에 서비스 한 42개 행성 중 36개가 하위 문명이래!

칼스파닉 : 뭔소리야. 성계신이 외계의 게임이 자기의 문명에 들어오는 걸 내버려 둘 리가 없잖아?

스피드웨건 : 설명해 주지! 외계의 존재. 몬스터와 싸우다 보면 영능에 재능 있는 자는 차크라 능력을 깨우치게 된다! 홈페이지에 따르면 네메시스 소프트는 강철계, 일성

기업과 연계하여 아스트랄 계를 달리는 은하철도에 있는 중계기에 연결해…….

어지러이 올라가는 채팅들을 보다 멈칫한다.

"……설마?"

당장 체다의 배를 두들겨 아이디를 검색한다.

뭉개진 자루 검색 결과 : 4건

뭉개진 자루, 뭉개진 자루(베타), 뭉개진 자루(감마), 뭉개진 자루(델타).

리벤지는 중복 닉네임이 가능하지만 그 뒤로 구분 코드가 부여된다.

"아니, 무슨 뭉개진 자루가 네 명이나 돼……."

추가 조건을 걸어 다시 검색한다.

한 달 내 가입한 뭉개진 자루 : 0건.

'이거 아닌가…… 아.'

금낭 검색 결과 : 7건.

한 달 내 가입한 금낭 : 1건.

"있다……."

물론 아직 확신할 수는 없는 상황이었기에 귓속말을 보낸다.

킬리언스(귓속말) : 뭉개진 자루?

금낭(귓속말) : 헉! 킬리언스 님! 리벤지라고 해서 혹시나 했는데 역시 계셨군요!

킬리언스(귓속말) : 지금 어디야?

금낭(귓속말) : 붉은 오크의 숲 입니다!

나는 레플리를 움직여 붉은 오크의 숲으로 날아갔다.

날아가는 동안 사냥터들의 모습을 살폈다.

스미스 : 으압! 차압!

해리 : 여기 몬스터들은 이상하군. 제자리에서 벗어나질 않는데?

호시노 : 으악! 찔렸…… 뭐지? 고통이 좀 이상한데…….

누더기 옷의 플레이어들이 수군거리는 말들이 채팅이 되어 기록된다.

그들을 지켜보던 다른 플레이어들도 보인다.

쿵덕쿵 : 들었어? 하위 문명 애들이래.

딜을줄까나 : 어떤 뉴비는 플레이어들 붙잡고 현대 병기 만드는 법을 물어본다던데?

튀긴감자 : 아니 이게 맞나? 외계 문명과의 접촉을 게임으로 하다니…….

쿵덕쿵 : 가서 좀 도와줘 볼까? 몬스터 한 마리 가지고 고생하는 거 너무 짠하네.

계속 날아간다. 목적지에 도착하기까지는 그리 오랜 시간이 필요하지 않았다.

쿵!

레플리를 착륙시키자 금낭의 주위에 있던 누더기 옷의 플레이어들이 자지러진다.

탐라 : 으악! 용종! 용종이야! 게다가 저렇게 크다니……!

이정세 : 모두 피해!

청익 : 조심하십시오!

"아이고……."

화면을 보니 열 명 정도의 사람들 앞을 금낭이 막아서고 있는 모습이 보인다. 검을 꼿꼿이 들고 있지만 하얗게 질려 있는 얼굴.

나는 재빨리 레플리를 되돌려 보내고 녀석 앞으로 캐릭터를 이동시켰다.

킬리언스 : 이렇게 보게 될 줄은 몰랐네.

금낭 : 킬리언스…… 님? 모습이 다른데…….

체다의 뱃살 위 화면으로 금낭이 의아해하는 얼굴이 보인다.

킬리언스 : 게임 캐릭터니 모습이 같을 수가 없지.

금낭 : 말투도 다릅니다. 게다가 초점이 묘하게 안 맞는데…….

너무나 당연한 말이지만 접속 방식에 따라 캐릭터의 반응성이 다르다. 모바일 플레이 중이라고 캐릭터가 완전히 둔하거나 비인간적인 것은 아니지만……. 애초에 모바일 플레이와 풀다이브(Full-dive) 플레이가 같을 수는 없겠지.

"……그래. 직접 보고 이야기해야지."

나는 휴게실 쪽에 위치한 캡슐로 향했다.

크로스 플레이(cross play)가 가능한 리벤지를 모바일이 아닌 가상현실로 접속하기 위해서였는데, 걷다 보니 문득 그런 생각이 든다.

"그러고 보니…… 차크라 사용자면 접속할 수 있다고 했지?"

생각해 보면 여기에서 수천만 광년도 떨어진 문명들도 할 수 있는 접속을 내가 못할 이유가 없다.

서버도 여기 34지구에 있는 판국인데.

웅!

차크라를 개방한다.

"리벤지…… 접속."

팟!

감각이 덧씌워진다. 아르데니아에 들어설 때처럼 완전한 감각은 아니다. 의식의 한편에 리벤지라는 [채널]을 여는 방식.

[신원 확인 중…… 환영합니다. 한재연 님. 서번트 캐릭터가 접속 중입니다.]

[아바타 캐릭터로 접속하시겠습니까?]

"그래. 아니 그나저나…… 이게 네메시스 기술력으로 가능한가?"

탄성이 나온다. 접속 과정이 너무나 빠르고 간편하다. 차크라 부담도 극히 적어서 무량구층의 경지가 단 1층에만 이르러 있어도 접속이 가능할 정도다.

'다만 소모가 아예 없는 건 아니야. 입문자 수준으로는 1시간…… 길어야 2시간 정도가 한계겠어.'

[로그인 장소를 지정해 주십시오.]

"서번트 캐릭터로."

팟!

리벤지에 접속한다.

"킬리언스 님!"

"그래 오랜만."

그렇게 답하고 슬쩍 옆을 본다.

"……."

킬리언스는 아무런 말없이 내 옆에 서 있다. 의지도 뭣도 없는 단순한 게임 캐릭터지만…… 그럼에도 전해지는 힘은 엄청나다.

'다만 좀 아쉽군…… 날 속일 정도는 아냐.'

나 역시 힘내서 만든 세상이지만 아무리 그렇다 해도 초월자의 감각을 완전히 속이기엔 부족함이 있다.

완전 가상현실이라지만…… 내게 이곳은 어설픈 가짜.

아르데니아에 비할 바가 아니다.

"킬리언스 님?"

"아, 그래. 대체 어떻게 된 거야? 설마 여기에서 보게 될 줄은 몰랐는데."

"잠깐! 당신은 뭔데 함부로 금낭 님께 말을 놓는 거지?"

푸른 머리칼의 여인이 앞으로 나선다. 고개를 돌려보니 훤칠한 신장에 흑표범처럼 탄력 넘치는 근육이 인상적인 미인이다.

"엘프?"

"내가 엘프라는 게 문제라도 되나?"

"아니…… 아 그래. 파라온 행성 출신이랬지. 드워프가 패권을 쥔 곳이라고 했었나."

하기야 그런 곳이라면 엘프도, 인간도 같은 처지일 것이다. 스스로를 상위종이라 부르며 코가 높기로 유명한 엘프라 해도 상황이 그래서야 인간과 한편일 수밖에 없다.

"단장님, 용종은 전부 통령과 한통속이에요!"

"진정해, 청익. 내가 여기까지 올 수 있게 도와주신 은인이야."

"……용종이 아닌가요?"

"인간이셔. 하지만 용종. 아니, 전설의 드래곤보다 더 강대한 분이지."

"그런……."

나는 금낭과 녀석을 따르는 누더기 옷의 플레이어들을 둘러보았다. 킬리언스의 기세에 덜덜 떨면서도 꼿꼿하게 서 있는 녀석들의 눈에는 금낭에 대한 신뢰가 가득하다.

"이 녀석들은 뭐야?"

"아…… 제 고향에서 이종족 탄압에 대항하는 독립군을 이끌고 있습니다. 다만 재능 있는 자들의 수가 모자라 이 정도밖에 데려오지 못했지요."

녀석은 차분히 상황을 설명했다.

녀석의 고향. 파라온은 발달한 화학병기를 손에 쥔 드워프들이 행성의 패권을 쥔 행성이다. 화기의 힘을 이기지 못한 나머지 종족들은 드워프 제국에 정복당해 노예 취급을 받고 있는 문명.

당연하지만 그곳에도 몬스터 사태는 벌어졌다.

우주 문명들처럼 초월급 몬스터가 등장하는 경우는 없었지만…… 하위 문명에서는 저레벨 몬스터만 해도 재앙이나 다름없다.

“간혹 보스급 몬스터…… 그러니까 완성자급 괴물이 등장하면 수천 명도 우습게 살해당하지요.”

다만 그게 금낭에게 마냥 나쁘기만 한 일은 아니었다고 한다. 그렇게 몬스터들이 날뛰기 시작하면서 다른 종족들을 강하게 억압하던 드워프 제국이 휘청거리게 되었기 때문이다.

금낭은 그 틈을 노려 독립군을 결성. 버림받고 보호받지 못하던 이종족들을 규합했다고 한다.

“네 삶도 참 파란만장하군.”

“킬리언스 님이 넘겨주신 센티넬이 아니면 불가능했을 겁니다. 벌써 예전에 죽었겠지요.”

영웅 클래스 센티넬(Sentinel)의 특성. [제국의 감시자]는 적과 아군의 위치는 물론이고 사용하고 있는 스킬, 상태 등을 확인할 수 있게 만든다.

‘자동 사냥에 별 도움이 안 돼서 리벤지에서는 인기가 없는 클래스지만…… 현실이나 블레이드&매직 같은 AOS게임에서 이 능력은 거의 치트나 다름없지.’

세상 그 무엇보다 중요한 ‘생존’을 보장하는 능력. 내가 괜히 많고 많은 클래스 카드 중 저걸 넘긴 게 아니다.

금낭이 설명을 계속한다.

“그런데 그 상황에 차크라를 각성한 이들에게 [정보]가 전달되었지요. 그, 광고라고 하던가요?"

"허허…… 참."

헛웃음이 나온다. 하위 문명에 이런 식으로 간섭하는 게 가능하다니.

다만 문제가 있다.

'역시나. 이들은 제대로 된 고객이 될 수 없다.'

3문명에 들어선 행성들조차 살인적인 34지구의 물가를 감당하지 못하는데 은행 계좌조차 만들 수 없는 하위 문명이 과금을 한다는 건 그야말로 어불성설(語不成說).

'하지만 사랑이 그걸 모를 리가 없겠지. 틀림없이 이 녀석들을 활용할 아이디어가 있을 거야.'

때문에 묻는다.

"과금은 가능한가?"

"과금…… 말입니까?"

"다이아를 결재할 수 있냐는 말이야. 아니 그보다 어떤 목적으로 이렇게 접속을 한 거야? 단순히 놀러 온 분위기는 아닌데."

"그건."

금낭이 입을 열어 대답하려 할 때였다.

팟!

공간이 일렁이고 누더기 옷을 입은 사내 한 명이 모습을 드러낸다.

다른 플레이어들과 마찬가지로 형편없는 차림새였지만…… 나는 그만 깜짝 놀라 한 걸음 뒤로 물러서고 말았다.

이 [가짜] 세상에서조차 확연한 위압감이 덮쳐 온다.

“오, 진짜 되는데? 아니 아무리 게임신이 지배하는 행성이라지만 행성 하나가 이런 기술을 가진 게 말이 되나?”

“……그래. 당연히 당신도 올 수 있겠지요.”

왠지 신나 보이는 목소리의 사내를 보며 헛웃음 지었다. 금낭과 비교할 수 없을 정도로 할 이야기가 많은 상대다.

“멀린.”

“……그래, 당연히 당신도 올 수 있겠지요.”

왠지 신나 보이는 목소리의 사내를 보며 헛웃음 지었다. 금낭과 비교할 수 없을 정도로 할 이야기가 많은 상대다.

“멀린.”

“오, 만나서 반가워. 옆의 그게 서번트 캐릭터로군.”

고개를 끄덕인 멀린의 손이 허공을 짚는다. 가타부타 말도 없이 시스템 UI부터 조작하는 모습에 헛웃음이 나온다.

‘그에게도 지금 리벤지 상황은 신기한 모양이군.’

한편 금낭에게 붙은 청익이 속삭인다.

“저 녀석은 또 뭐죠, 단장님?”

“솔직히 잘은 몰라. 신과 같은 마법사라는 것 말고는…….”

팟!

그때 멀린의 옆으로 [엠리스]라는 아이디의 서번트 캐

릭터가 생겨난다. 게임 캐릭터가 흔히 그러하듯 미형의 여인.

그러나 그런 미형임에도 이쁘단 생각은 들지 않았다. 기본 복장 때문이었다.

“아니, 왜 옷이…… 아, 그러고 보니 나도 누더기네.”

중얼거리며 허공에 손짓한다.

“아. 돈 주고 사면 되는구나. 신규 유저 패키지? 이거도 사야 하는 모양이고…… 아니, 미친 개비싸네ㅋㅋㅋ.”

어이없다는 듯 웃음을 터트리는 멀린의 모습에 절로 입이 벌어진다.

‘아니 풀 다이브 상태인데 채팅을 초성으로 친다고?’

PC나 모바일 접속 상태라면 어렵지 않지만 완전 접속 상태라면 이야기가 다르다.

인간은 시스템적인 감각에 익숙해지는데 많은 어려움이 따르기 때문이다.

지금 저 모습은 그가 아주 긴 시간 가상현실에 적응한 가상현실 고인물이라는 증거나 다름없다.

모두가 멍하니 보고 있는 와중에도 멀린은 계속 손을 움직였다.

“흠, 효과는 됐고 룩 중심으로…… 이게 좋겠다.”

팟! 팟! 팟!

다른 신규 플레이어들과 마찬가지로 누더기 옷차림이던 멀린의 복장이 단숨에 바뀐다.

붉은색 로브와 큰 챙 모자, 기다란 지팡이는 누가 봐도 마법사의 그것이다.

'화룡의 망토에 대마법사의 모자…… 룩 중심이라더니.'

비싸다는 엄살과 달리 가격을 신경조차 안 쓰는 모습은 그가 얼마나 부유한 존재인지를 말해 준다.

나는 드디어 복장을 다 갖춘 그를 향해 물었다.

"그나저나 어떻게 된 겁니까? 덕분에 살았지만."

"아, 게임 클리어? 보니까 다크 메시아 녀석이 네 쪽으로 출장을 갔더라고. 바로 신전을 털었지. 덕분에 난 이제 다크 스타의 [그랜드 듀얼 마스터]야. 신화 카드도 두 장이나 얻었지."

"뭐, 명색에 최종 보스니 보상이 좋긴 하죠."

나는 신화급을 1개밖에 얻지 못했지만 대신 40개의 전설 아이템을 얻었다. 히페리온에 담긴 금빛 증폭은 적어도 전설급에 한해서는 부족함이 없게 만들어 준다.

"그나저나…… 몬스터들이 사라졌다는 사실은 아시죠?"

"게임이 클리어되면서 현실과의 패스가 끊어지는 모양이더라고. 문제가 좀 있기는 하지만."

"문제 말입니까?"

"……뭐야. 클리어하고 거기 한 번도 안 갔어?"

거기라 하면 당연히 아르데니아를 말하는 것일 터. 나는 고개를 끄덕였다.

"기절했다가 일어나서는 쭉 쉬고 있어서."

"기절? 아…… 그렇겠군."

멀린은 별 질문 없이 내 말을 이해하고 넘어갔다. 별로 해당 화제를 다루고 싶지 않은 분위기다.

'녀석도 그녀를 봤군.'

하긴 먼저 게임을 클리어 한 입장이니 당연한 일이라. 그 역시 무량구층의 한계를 넘어섰을 테고, 자연스럽게 내면세계의 끝에서 [밖]을 보게 되었겠지.

"뭐, 그럼 이 문제는 대충 넘어가지. 다만 로그아웃을 너무 길게 하지 않는 게 좋을 거야."

"음?"

"차차 이해하게 되겠지. 그나저나…… 마나 뱅크에 아스트랄 네트워크인가…… 34지구 기술이 대단하긴 하네. 기술 4문명에 마도 4문명이 골고루 필요한데…… 기술이야 리전과 협약을 맺었다 치고. 34지구에 황제급 마도사가 있나?"

"아는 기술입니까?"

내 물음에 멀린이 고개를 끄덕인다.

"척 보면 알지. 아스트랄계. 그리고 그 세계를 정기적으로 순회하는 게럴트를 매개체 삼아 어디서든 패턴화된 마나를 꺼내 쓸 수 있는 신기술이야."

"……그게 무슨 말이죠?"

"마나와 마법을 화폐로 쓸 수 있다는 거지. 아마…… 역시, 화폐에 있네."

멀린의 말에 캐시숍에 들어간다.

리벤지의 화폐, 골드, 다이아 옆에 새로운 항목이 신설되어 있다.

[마나 코인(Mana Coin).]
마나 뱅크에 저장되는 재화.
마나 상점을 이용할 수 있다.

“이게 뭐야?”
의아해하며 마나 상점을 연다.

[레벨 1. 마나 상점]
발화(1마나 코인) : 불을 일으킨다.
수분 집결(10마나 코인) : 주변의 습기를 집중시켜 신선한 물을 0.1~4L 만들어 낸다.
마법 빵 생산(15마나 코인) : 주변의 소재를 흡수해 0.1kg에서 8kg의 마나 빵을 만들어 낸다.
퇴비 생산(20마나 코인) : 주변의 소재를 흡수해 퇴비를 생산해 낸다.
상처 치료(25마나 코인) : 외상을 치료한다.
잠금(해제 100마나 코인)
잠금(해제 100마나 코인)
…….

“뭐야, 이 생활감 넘치는 마법들은…….”

황당해하며 목록들을 확인하던 중, 문득 다른 목록들이 있다는 걸 깨달았다.

각각 [코인 생산], [코인 교환], [마나 정형] 등이다.

나는 그중 코인 생산을 선택했다. 안내에는 캡슐의 특정 부분에 마나를 주입하라는 식으로 나와 있었지만, 나는 그 지시를 따른 대신 내공을 일으켜 그것을 [리벤지] 채널에 집중시켰다.

[1내공 코인이 생성되었습니다.]
[2내공 코인이 생성되었습니다.]
[3내공 코인이 생성되었습니다.]

"……진짜 되네."

어이가 없어 헛웃음 짓는다. 가만히 우리 대화를 지켜보던 금낭이 말했다.

"그게 저희가 이 게임에 접속한 이유입니다. 마나를…… 정확히는 마법을 구매하기 위해서요."

새로운 플레이어들은 단순히 게임을 플레이하기 위해 리벤지에 접속한 게 아니라, 리벤지에서 돈을 벌어 마법을 사 가는 게 목적이라는 말.

그때 금낭을 따르던 플레이어 중 한 명이 조심스레 다가와 말한다.

"……단장님."

"시간이군. 가서 쉬어."

"네."

예를 표하더니 뒤로 물러나 로그아웃한다. 녀석을 시작으로 금낭과 청익을 제외한 전원이 사라졌다.

나는 그게 무슨 일인지 금세 눈치챌 수 있었다. 그들의 차크라로는 더 이상 접속을 유지하기 어려워진 것이다.

"오래 버티지는 못하는 모양이네."

"이러니 저러니 해도 다 입문자 수준이니까요. 그나마 여기에 데려온 인원은 그중에서도 오래 버티는 편입니다. 그렇지 않은 이들은 도시에서 일을 시켰지요."

"……도시에서 일?"

지금 인원이 전부가 아니었다는 말.

금낭이 고개를 끄덕인다.

"도시에는 일자리가 준비되어 있습니다. 접속한 대부분의 인원이 거기에서 일을 하죠. 저흰 일반적인 게임 플레이에 대한 정보를 얻기 위해 사냥한 것뿐입니다."

"아니, 도시에서 할 수 있는 일이 있나?"

만일 이곳이 현실이었다면 아무리 하위 문명의 인력이라도 쓸 곳이 있을 테지만 게임 속에서는 이야기가 다르다.

데이터를 조작하면 1,000층짜리 건물도 몇 초면 만드는 디지털 세상에서 무슨 일을 시킨단 말인가?

그러나 금낭은 고개를 끄덕였다.

"일단은 서비스직이 있지요."

"그렇지. 하지만 자리가 그리 많지 않을 텐데……."

"네. 그래서 아무나 일할 수 없지요. 하지만 노동은 가능합니다. '마나 정형'이 있거든요. 외부 마나를 마나 뱅크의 걸맞은 마나로 바꾸는 과정이고…… 이곳에 접속할 정도의 차크라 능력자라면 다들 할 수 있습니다."

"일당은 어떻게 돼?"

"작업량에 따라 다르지만 지금은 시간당 10마나 코인 정도입니다."

"……."

나는 미뤄 두었던 코인 교환 목록을 확인한다.

[코인 교환]

1다이아 : 1,013마나 코인

1다이아라고 해 봐야 한화로 100원에 불과하다. 그런데 그 1다이아가 1,000마나 코인이고 이들의 시급은 10마나 코인.

즉, 이들의 시급은…… 1원이다.

"아니, 미친."

있을 수 없는 일이다. 노동청이 기절초풍하고 정의신관들이 문을 부수고 쳐들어올 만행 중의 만행.

그러나 냉정히 생각해 보면 정말 그렇게 될까?

'……아니다.'

여기는 일터가 아닌 게임 속이고 34지구의 노동법과 복지는 34지구 사람들을 위한 것이지 수백 수천만 광년도 넘게 떨어진 하위 문명을 위한 것이 아니다.

이 사실이 알려지면 여러 사람이 놀라고 경악하겠지만, 그걸로 네메시스의 이미지가 크게 실추된다거나 무슨 징벌을 받을 일은 없을 것이다.

원래 이미지가 깨끗했다면 또 모르겠지만…… 네메시스는 원래 돈독이 오른 걸로 유명한 기업이 아닌가?

심지어 시급 1원의 당사자인 금낭조차.

"감사한 일입니다."

"……감사하다고?"

이런 반응.

뜻밖의 말에 고개를 돌리자 금낭이 고개를 끄덕인다.

"지금 저희 대륙은 최악의 상황입니다. 도시가 파괴되고 문명이 후퇴했지요. 아사자가 속출하고 사람이 있어도 일을 못하고 있었는데…… 이런 기회가 주어진 겁니다."

"……."

생각 이상으로 처참한 상황인 모양.

'아니 이렇게 되면…… 네메시스가 오히려 좋은 일을 하는 건가?'

그렇게 생각하다 문득 깨닫는다.

'어, 잠깐…… 이렇게 되면 게임이 아닌데?'

"이거 게임이 아니구먼?"

마치 내 생각을 읽기라도 한 듯 동일한 결론을 내는 멀린의 말. 나는 고개를 끄덕였다.

"그러네요. [플레이어]라는 호칭이 무색할 정도예요."

그들은 리벤지에 놀러 온 게 아니라 일하러 왔다. 더 무시무시한 것은, 네메시스가 그들을 굳이 리벤지라는 세상에 [편입]시켰다는 것이다.

34지구의 플레이어들과 만나지 않게 공간을 분리해 그곳에서 일만 시켜도 되었을 텐데도 굳이 그들을 각각의 도시에 뿌려 둔 것!

멀린이 웃었다.

"재미있는 방식이네. 내가 오해를 했어."

"오해 말입니까?"

"그래. 나는 이 리벤지라는 게임이 하위 문명을 포함해 많은 사람들을 끌어들여 훈련시키기 위한 목적을 가지고 있을 거라고 생각했거든."

그러나 아니다. 리벤지는 그런 선의로 기업의 총력을 걸고 기술을 개발하지 않았다.

"이건 훈련도 게임도 아냐. 말하자면…… 계급이 존재하는 새로운 사회를 만들려는 의도가 느껴져."

멀린의 말을 들으며 네메시스의 오랜 기획의 명칭을 떠올렸다.

'세컨드 라이프 프로젝트(Second Life Project). 그래. 어쩌면 처음부터였을지도 모르겠군.'

"뭐, 어쨌든 그런 상황이라는 것만 알아주시면 됩니다."

말을 마무리하는 금낭의 모습에 묻는다.

"가려고? 너는 다른 플레이어들과는 경우가 다를 텐데."

물론 나나 멀린에 비하면 금낭의 경지는 아주 낮다. 차크라 경지도 기껏해야 3~4층에 불과한 수준.

그러나 그 정도만 해도 리벤지에 접속하는 것 정도는 아무런 부담도 되지 않는다. 현실의 몸에 문제만 없다면 여기에서 영원히 살 수도 있을 것이다.

"하하. 그렇긴 하지만 현실에도 일이 많거든요. 여기는 블레이드&매직와 달리 시간이 멈춰 주지 않으니."

"그러고 보니 독립군을 이끌고 있다고 했지."

고개를 끄덕이자 문득 멀린이 말한다.

"뭐, 기회가 되었으니 선물을 좀 줄까?"

"선물…… 말입니까?"

의아해하는 금낭을 향해 멀린이 손을 내뻗는다.

우우웅―――!

거대한 영파. 깜짝 놀라 고개를 돌리자 멀린이 손을 내린다.

"궁극 마법 2종을 보냈어. 이미 구매 처리가 되어 있을 테니 마나 상점에서 꺼내 쓰면 될 거야."

"무슨 소립니까 멀린? 그냥 마법을 보낼 수가 있어요?"

일반적인 마나가 수백 수천만 광년을 넘어갈 수 있을 리 없다. [마나 정형] 과정이 괜히 있는 게 아니지 않겠나?

멀린이 어깨를 으쓱인다.

"어떻게 그냥 보내겠어? 리벤지의 패스를 이용해야 하

는데. 당연히 정형한 마나로 완성한 마법이지."

"언제 그런 걸……."

"뭘, 언제야 지금 했지."

"아니 무슨."

너무나 당연하다는 말투에 기가 막혀 멈칫한다.

그러나 생각해 보면 문제는 그것 뿐만이 아니다.

"아니 그보다 네메시스가 궁극 마법을 보내는 걸 두고 봅니까?"

있을 수 없는 일이다. 마나 상점에 있지도 않은 상품을 멋대로 추가한 셈이 아닌가?

그러나 이 역시 멀린은 태연히 넘긴다.

"당연히 해킹했지. 다 모를 테니 걱정은 노노해."

"……."

어이가 없어 헛웃음이 나온다.

'아니, 이 녀석 설마 황제 클래스의 마법사인가?'

그러나 이런 녀석이 있다는 소문을 들어 본 적이 없다. 우주 최고의 학문 기관 우로보로스에 10클래스 마법사가 더 있다면 소문이 안 날 리가 없는데…….

"대체 어떤 마법. 헉! 이, 이런 마법을…… 감사합니다. 형님!"

허공에 손짓하던 금낭이 깜짝 놀라 고개를 숙인다. 보아하니 녀석에게 꼭 필요한 마법을 준 모양이다.

'하기야 궁극 주문이라니.'

당연하지만 나는 같은 걸 줄 수는 없다. 마법을 보내기는커녕 마나 정형이 뭔지도 아직 잘 모르니까.

대신 다른 걸 주기로 했다.

"뭐, 나도 선물을 주지."

그렇게 말하고는 시스템 UI를 조작해 우편을 보낸다.

[금낭(에타)에게 100,000다이아를 보냈습니다!]

선물은……. 뭐니뭐니 해도 역시 머니가 최고다.

"헉! 10만 다이아!"

금낭이 펄쩍 뛰었지만 사실 그리 엄청난 액수는 아니다. 1다이아는 100원이니 고작 천만 원에 불과한 금액. 그러나 시급이 1원인 하위 문명에게 천만 원이란?

천만 시간이다.

'최저 시급이 만 원이라고 치면 천억 원인가…….'

물론 대충 잡은 금액일 뿐이다. 그들이 마나 정형으로 지급 받는 돈은 시급이 아닌 건당 개념이고 이들의 차크라 경지가 높아진다면 시급이 몇 배에서 몇십 배까지 오를 가능성이 있었기 때문이다.

그러나 그렇다고 당장 그 숫자가 어디 가는 것도 아니다.

"감사합니다, 형님! 이 돈이면 저희 단원 전체를 배불리 먹일 수 있어요!"

감격하는 금낭의 모습에 멀린이 투덜거린다.

"아니, 내 궁극 주문이 훨씬 비싼데 리액션 차이 ㅡ_ㅡ

품도 많이 드는 지속형 궁극 주문으로 걸어 줬더니만.”

“앗! 당연히 감사하고 있습니다, 형님! 그저 궁극 마법이라는 존재가 실감이 안 났을 뿐입니다. 전설의 드래곤이나 넘본다는 경지인지라…….”

거침없이 허리를 숙인다. 한 집단의 지도자치고는 가벼운 태도이지만 누군가 아무 대가 없이 천억과 그 이상의 가치를 지닌 보물을 안겨 준다면 상대가 누구건 체면을 굽힐 줄 알아야 하는 것이 지도자라는 존재다.

필요한 순간에 체면을 굽힐 줄 모르는 자는 중소기업 대표 자리도 아까운 모질이일 뿐이겠지.

“뭐, 써 보면 알겠지. 너희 전압 5토르 맞지?”

“네, 형님. 하지만 이게 가능할까요? 콘센트가 없을 텐데…….”

“그냥 꽂아 보면 알 거야.”

둘의 대화를 들으며 생각한다.

‘아니 무슨 궁극 주문이기에 전압 이야기가 나오지?’

내가 궁금해하거나 말거나 금낭이 작별 인사를 한다.

“감사합니다, 형님들! 언젠가 꼭 은혜를 갚겠습니다!”

“그래그래.”

“힘내.”

손을 흔들어 준다. 물론 적당히 하는 소리다. 멀린은 물론이고 나도 이미 이뤄 낸 입지가 있기 때문이다.

하위 문명의 금낭에게 도움을 받을 일은 웬만해서는 없겠지.

팟!

억지로 버티던 모양인지 슬슬 괴로워 보이는 청익과 함께 금낭이 사라진 후.

나는 조심스레 물었다.

"혹시 텐 클래스에 도달한 겁니까?"

멀린의 능력은 고작 대마법사라기에 너무나 이질적이다.

'물론 대마법사에게 고작이라는 단어가 어울리나 싶기는 하지만…….'

그러나 리전이 참여해 만든 보안을 우습게 뚫어 버리고 제자리에서 지속형 궁극 마법을, 그것도 마나 정형까지 해서 인챈트 하는 건 대마법사라 해도 할 수 있는 일이 아니다.

"아, 뭔가 오해를 하나 보네."

그러나 멀린은 웃었다.

"방금 쓴 궁극 마법은 나도 신경 써서 만든 거야. 마나 정형까지 있어서 3일이나 걸렸지."

그의 말에 멈칫한다. 그러고 보니 멀린은 금낭에게 선물한 궁극 마법에 대해 '품도 많이 드는'이라는 표현을 사용했고, 이는 한 번에 사용한 마법에 붙일 표현이 아니다.

플레이어인 난 즉시 상황을 이해할 수 있었다.

"로그…… 그, 했었군요."

강제적인 로그인을 방지하기 위해 말을 조심하는 나를 보며 멀린이 웃는다.

"자연스럽지?"

그 말 그대로 바로 옆에 서서 그가 로그인&로그아웃 한 사실을 전혀 눈치채지 못했다. 나도 복화술이 경지에 이른 수준이라고 생각했는데 이 정도면 가히 일가(一家)를 이룬 수준이다.

'그러고 보면…… 로그인&로그아웃 능력이 진짜 사기인 건 바로 마법과 결합했을 때긴 하지.'

나도 긴 시간 명상한다거나 하는 방식으로 로그인&로그아웃의 혜택을 받았지만 아무리 그래 봐야 마법의 효율을 따라갈 수는 없다.

"흠. 잠시만."

그때 멀린이 가볍게 손을 휘저었다. 알 수 없는 일렁거림이 주변을 뒤덮는다.

"……뭐죠?"

"정보를 차단했어. 사실 이미 적용 중이었는데 한 단계 강화했지."

"아니, 무슨 운영자도 아니고…… 그보다 왜요?"

"왜는 무슨 왜야. 우리가 한 이야기 중에 퍼지면 안 되는 이야기가 얼마나 많은데 대화가 스크립트로 남는 여기서 했겠냐?"

"허락 없는 채팅 유출은 불법인데요."

"진짜 34지구 출신다운 발언이다."

피식 웃은 멀린이 말을 잇는다.

"어쨌든 답변을 말하자면, 아직 아냐. 차크라 경지가 무량구층의 한계를 넘어가면서 10클래스 마법을 사용할 수 있게 되었고 마력도 엔간한 마왕보다 많지만…… 그래도 아닌 건 아니지."

겸양의 말이었지만 내 생각은 다르다.

'……거의 황제급이나 다름없군. 경우에 따라선 황제급을 잡아 낼 수도 있겠어.'

10클래스의 마도사라도 10클래스의 이적(異蹟)을 마구 남발할 수는 없다. 충분한 촉매와 준비가 필요할 것이며 캐스팅 시간도 당연히 필요하겠지.

그러나 멀린은 어떤가?

'로그인 하고 주문을 외워 오면 그만이다.'

농담이 아니라…… 멀린은 10클래스 주문을 난사할 수도 있다.

"아. 그 시선 무슨 뜻인지 알겠는데, 절대 그럴 일은 없어."

"왜요?"

"한 번 쓰는 데 16년 정도 걸려."

"……."

"그냥 쉬는 것도 아니고 주문을 짜고, 빌드업 하고 카드를 소모하고……."

어깨를 으쓱이는 멀린의 모습에 고개를 끄덕인다.

"좀 어려움이 있겠군요."

"좀이 아니야. 지루해 죽는다고 진짜…… 필요 수준이 너무 높아서 누굴 시킬 수도 없고…… 하. 아카데미를 세우긴 했는데 그 듀얼 병신들이 언제 사람 노릇을 할지……."

투덜거리는 멀린을 향해 묻는다.

"그나저나 다크 스타에는 황제 클래스가 있습니까?"

"원래 있었어. 우주 레벨의 영웅과 카드…… 막상 들어간 다크 스타 세계에는 구현이 안 되어 있었지만."

[그녀]는 전능에 가까운 힘으로 게임 세상을 모방하였지만, 그럼에도 불구하고 한계는 있다.

중급 신이든 상급 신이든 그냥 수치 좀 더하면 끝인 게임과 달리 실제 세계에서는 구현 난이도의 차원이 달라지기 때문에, 그녀의 세계에는 상급 신은커녕 중급 신도 구현이 불가능했고, 거기에 대응하는 클래스나 무기 역시 모두 막혀 있었다.

"흠. 그것에 관련해서 말인데……."

나는 리벤지에 황제 클래스가 나왔고, 그걸 얻기 위해서는 네메시스의 주식이 대량으로 필요하다는 사실을 털어놓았다.

내 말을 다 들은 멀린이 떨떠름한 표정을 지었다.

"어, 잠깐. 너 설마."

"좀 빌려 주실 수 있나요?"

"……."

잠시 멍 때리던 멀린이 버럭한다.

"빌려 주실 수 없어, 자식아! 야 내가 아무리 부자여도 그렇지…… 34지구 돈으로 120조 원이면 400억 게럴트잖아! 장난해?"

"황제가 되어 갚겠습니다."

"황제 클래스 얻는다고 진짜 황제가 되는 것도 아니거든? 준황제지!"

이빨도 안 들어가는 모습에 한숨 쉰다.

"역시 안 되나……."

"당연히 안 되지! 이거 큰일 날 놈이네."

어이없다는 표정으로 고개를 내저은 멀린이 이내 헛웃음 짓는다.

"그나저나 그놈의 돈 때문에 다들 난리구만. 나도 업데이트 하려고 평생 생각도 안 하던 저축을 하고 있긴 하지만."

"아…… 그 흥행력 때문에?"

"그래. 다크스타의 인기가 턱없이 모자라. 적어도 지금의 48배는 흥행시켜야 할 듯한데…… 카드 게임이 대우주에 널리고 널려서 흥행이 쉽지 않네."

멀린은 다크스타의 제작자로 다크스타를 온전히 소유하고 있다. 말하자면 다크스타의 지분을 100% 들고 있는 셈.

'그러나 지분이 다가 아니지.'

업데이트를 위한 흥행력은 소유율과 게임 수익의 곱이라는 공식을 가지고 있고, 그 결과 수익이 형편없는 다크스타는 소유율이 100%라도 발휘할 흥행력에 한계가 있다.

멀린이 칭얼거린다.

"아…… 회사 경영하기 싫어…… 그냥 열심히 해서 실

력으로 황제 찍을까……."

"어처구니없는 말씀을 하시네요."

그냥 열심히 해서 황제 클래스에 도달할 수 있으면 천문학적인 숫자의 행성과 거기에 머무는 문명들 속에서 황제 클래스가 손에 꼽을 정도로 드물 리가 있겠는가?

하급 초월자가 하위 문명에서나 신으로 추앙받는 우물 안 개구리라면, 황제 클래스는 그야말로 우주적인 강자라 해도 과언이 아니다.

"그래도 뭐, 신위과 신격은 마련되어 있는 상태야. 신성만 완성하면 되는데…… 업이 터무니없이 모자라네. 우주를 떠돌면서 무수히 많은 문명들을 구하거나. 우주를 뒤흔들 발명을 하면 될 거 같은데."

"묘하게 구체적이네요."

아무래도 황제 클래스에 대한 계획이 있는 모양.

반면 나는 좀 막연하다.

'솔직히 초월지경의 벽도 뭐가 뭔지 모르는 새에 넘은 감이 좀 있으니.'

그런데 멀린이 뜻밖의 말을 한다.

"구체적이어야지…… 안 그러면 죽을 텐데."

"죽다니요?"

"[그녀]의 창조가 점점 궤도에 오르고 있어. 이렇게 시간이 지나 황제급 몬스터라도 튀어나오면 너나 나나 죽은 목숨이지."

틀린 말은 아니다. 나는 이제 하급 초월자 중에서는 정상급 강함을 가지고 있지만…… 중급 초월자를 만나면 이야기가 전혀 달라지기 때문이다.

"하지만 그게 그렇게 단기간에 될까요?"

"알 수 없지. 다만 분명한 건 그녀는 대우주 전체를 대상으로 생명체를 학살하며 엄청난 [업]을 약탈했다는 거야. 그녀에게는 무한정의 기회가 있으니…… 언젠가 언터쳐블이고 뭐고 만들어도 이상할 게 없지."

그렇게 말하고는 사냥터를 둘러본다. 저 멀리 수많은 플레이어들의 모습이 보인다.

"여기 사냥터는 저희 [쩔받으면내길원]에서 통제 중입니다! 보스 몬스터 치지 마세요!"

"뭐? 어디 인간 따위가 큰소리치는 거냐! 내가 누군지 알아?"

"너가 누군데요?"

"나는 우레망치 가문의 타르카나 토르빈 마르텡 오리할콘……!"

"아 뭐래."

"컥……? 이, 인간 놈이 감……."

기존 플레이어에게 대들다 맥없이 로그아웃 당하는 신규 플레이어의 모습이 보인다.

"저, 저기 정말 하루만 일하면 다이아를 주신다는 거죠?"

"다 드리는 게 아니라 테스트에 합격하시는 분들만 저희 알랑가TV와 함께하실 수 있습니다! 차례대로 노래 한 소절씩 불러 보세요! 아니면 연기를 해 보셔도 좋습니다!"

"아~ 아아~ 나의 분노는~"

"꽝이네. 다음!"

"다, 다시 기회를 주세요! 제가 긴장해서……."

신규 플레이어들을 데리고 뭔가 하는 개인 방송인들도 보인다. 날씨는 선선하고 하늘에는 온갖 비행 펫들이 날아다니고 있다.

"……평화롭네요."

"그래, 평화롭지. 하지만 저들의 세계도, 그리고 우주의 운명도 그렇지 않아. [그녀]는 그저 장난을 치고 있을 뿐이지만…… 그 존재는 미증유의 재앙이야."

나는 수없이 많은 별들로 이루어진 초은하단이 풍성한 머리카락처럼 늘어져 있던 모습을 떠올렸다. 수천억, 수천조 개의 별들로 만들어진 날렵한 콧대와 살짝 지켜 올라가 있는 눈매까지.

'그야말로 차원이 다르지.'

단지 바라는 것만으로 우주를 만들어 내고, 초월자를 찍어 내는 우주적 존재.

대우주의 창조주와 동급이라는 별격의 괴물.

"……그녀에게 대적하겠다는 겁니까?"

"그런 건 불가능하지. 그 대단하신 최상급 신들조차도 못하고 있는 일인데 어찌 우리가 할 수 있겠어? 다만 이 몬스터 사태를 어느 정도 정리하는 건 가능해."

리벤지의 풍경에서 눈을 뗀 멀린이 나를 바라보았다.

지금까지와 다른 진중한 표정에, 나 역시 차분한 목소리로 답했다.

"게임 클리어."

"맞아."

그가 고개를 끄덕인다.

"남은 열 개의 게임을…… 모두 클리어 해야 해."

"어떻게요? 그 게임의 플레이어들은 이미 죽었는데."

최초 그녀의 사도는 12명이었지만 이제 와서는 나와 멀린, 그리고 금낭만 남아 있을 따름. 아무래도 난데없이 게임 속으로 끌려 들어간다면 대부분의 경우 살아남지 못하는 모양이다.

'하기야 그게 정상이긴 하지. 연예 시뮬레이션 게임이나 스포츠 게임이었다면 이야기가 다르겠지만…… 신적인 존재를 만드는 게 목표인데 그딴 장르를 선택할 리는 없을 테고.'

잠시 잡념에 빠져 있던 내게 멀린이 설명했다.

"가능해. 게임 클리어, 혹은 게임 오버가 되면 해당 게임은 다른 게임과 연결되거든."

"……잠깐. 그러면 시간은요?"

아르데니아는 내 내면 세계에 위치한 독립된 차원이고 그러기에 현실의 그것과 구분된 고유한 시간선을 가지고 있다. 로그인&로그아웃 능력이 초월자가 된 지금에 와서도 사기적인 성능을 자랑하는 게 바로 이 시간선 덕.

"다행히 그 안에서 오래 있는 건 문제가 안 돼. 다

만…… 현실에서 오래 있을 때에는 문제가 되지."

"문제요?"

"현실에서 오랜 시간을 보내면 로그인했을 때 [침공]해 들어오는 수가 많아지거든. 접속 상태에는 영향을 안 주지만…… 이게 생각보다 골치 아프지."

멀린이 그의 세계, 다크 스타에 시작된 [콜라보 이벤트]에 대해 설명해 주었다.

말이 좋아 이벤트지 지금 대우주에 벌어지고 있는 몬스터 사태와 똑같은 일이 벌어지고 있다고 한다.

"그럼 로그아웃을 너무 길게 하지 않는 게 좋을 거라고 한 게……."

"하루에 한 번은, 웬만한 일이 없는 한 로그인해야 할 거야. 내 한 몸 간수하기는 어렵지 않지만 민간인 피해를 막을 길이 없으니까."

그의 말에 잠시 고민하다 묻는다.

"상황이 이렇다면…… 그냥 정보를 공개하는 게 낫지 않습니까?"

"게임 세상을?"

"네, 다크 스타의 흥행도. 제 돈 문제도 사실 외부의 도움을 받으면 간단한 일일 텐데요."

34지구, 특히나 대한민국 정부의 부(富)는 그야말로 상식을 벗어나는 수준이다. 34지구 최대 인구와 국토를 가지고 있기 때문이 아니라 게임 마스터가 지배하는 강철계(鋼鐵界)와 연계된 국가이기 때문이다.

120조는 개인이 충당하기 불가능에 가까운 액수이지만…… 한국 정부에게는 일상적인 예산에 불과하다.

어디 그뿐인가?

멀린의 다크 스타도 대형 세력들이 밀어 준다면 지금과 비교할 수 없는 수준으로 흥행시킬 수 있다. 막말로 팡팡 광고 때리고 강제로 플레이시키면 되지 않겠는가?

그러나 멀린은 고개를 흔들었다.

"미안하지만 몬스터 사태는 우주적 재앙이야. 우리의 비밀을 공개하는 건…… 사람들을 지나치게 합리적인 존재라 믿을 때나 가능한 일이지."

몬스터 사태로 인한 피해는 너무나 커서 우주의 그 누구도 정확한 수준을 파악하지 못하고 있다. 엔간한 문명은 아포칼립스 상황으로 몰아갈 정도의 생명과 재산 피해 앞에서 그 원인일지 모르는 존재가 모습을 드러낸다면?

"도움을 받기는커녕 방해나 안 받으면 다행인 상황이 된다는 말이군요."

"그렇지."

고개를 끄덕이는 멀린의 모습에 생각을 정리한다.

"그럼…… 어쩔 수 없이 오래 걸리겠네요."

"황제 클래스에 너무 집착하지 마. 물론 대단히 좋은 능력이겠지만…… 이번에 얻게 된 10층의 차크라 용량과 속성력만 제대로 다룰 수 있어도 드라마틱한 성장을 할 수 있을 테니."

그렇게 말한 멀린이 자신의 서번트 캐릭터를 돌려보내더니 자리에서 일어난다.

"침략을 방어하고, 게임 자체의 역량을 키워. [그녀]가 언제까지 지금처럼 바라만 볼지 알 수 없지만…… 우리는 할 수 있는 걸 해야겠지. 아! 친구 추가나 해 놓을까?"

나는 멀린과 친구 추가를 했다. 언제든 리벤지를 이용해 의견을 나눌 수 있게 된 것이다.

"그럼 나중에."

가볍게 손을 휘휘 젓더니 그대로 사라져 버린다.

"……황제 클래스가 그리 급하지 않다고 생각하는 모양이네."

이해가 안 가는 건 아니다. 황제 클래스는 물론 사기적인 능력이겠지만…… 능력의 격 자체를 올릴 정도는 아니기 때문이다.

내가 신화 클래스를 얻었을 때에도 초월급 강자를 상대로는 잠시 드잡이질이나 할 수 있는 정도에 불과하지 않았던가? 진정한 성장은 신화 클래스를 얻었을 때가 아니라 극의지체를 완성하고 초월지경에 들어섰을 때라고 할 수 있겠지.

그러나.

'갖고 싶은 걸…….'

조합하면 개사기 성능을 낼 수 있는 특성이 벌써 10개 이상 떠오르는 상황이다.

수련이야 당연히 하는 거지만, 그와 별개로 클래스도

얻으면 당연히 좋지 않겠는가? 만약 언젠가 내가 진짜 황제의 경지에 오른다 해도 황제 클래스는 당연히 있는 편이 좋을 것이다.

"그나저나. 침략이라."

나는 자동 사냥을 켜 둔 뒤, 리벤지와의 차크라 연결을 끊어 접속을 종료시켰다. 거짓된 감각이 사라지고 드래곤 스타의 모습이 눈에 들어온다.

나는 냉장고를 열어 플라워가 만들어 둔 샌드위치를 챙겨 먹었다.

"로그인."

그리고 아르데니아로 들어간다.

"개인 장비는 동쪽에 쌓아 주시고 음식 재료는 창고 앞에 내려 주세요!"

"마법사 분들 서둘러 주세요! 저녁까지 인챈트 완성해야 합니다!"

"숙소 주소는 길드 게시판에 공지해 놨으니 각자 확인하세요!"

새로이 정복된 천원, 암흑성의 한쪽에 뚫린 지하도를 통해 무수히 많은 사람들이 올라오고 있다.

그들은 인벤토리와 마차 등에 가득가득 채워 온 짐을 풀고 성벽에 올라 경계를 시작하거나 미리 안내받은 자신의 집을 찾아 들어갔다.

"드디어…… 모든 용맥을 정복했군요. 이제 수도는 이 암흑성이 되는 건가요?"

"수도라고 하기는 뭐하지만 앞으로 내가 여기에 머물기는 하겠지. 대륙 정중앙이라는 위치가 있으니까."

나는 책상에 앉아 서류를 살피고 있는 플라워의 모습을 잠시 바라보다 다시 도시를 내려다보았다.

저 멀리 일단의 마법사 무리가 방어 타워 안에 들어가는 모습이 보인다.

'침략이라.'

사실 그렇게까지 최악의 상황은 아니다. 아르데니아의 화점에 위치한 성들은 모두 신화급이고, 그렇지 않은 성들도 최소 전설 등급은 유지하고 있기 때문이다.

'그리고 리벤지의 성들은…… 성 외부의 공격뿐 아니라 내부에서의 테러도 잘 막지.'

다수 존재하는 신화급 성의 콘셉트 중 기가스 랜드만 8개를 고른 건 괜한 이유가 아니다.

실제로 패스티벌 랜드를 제외한 모든 화점에는 각각 100기가 넘는 기가스들이 배치되어 있다.

"파일럿들은 기가스가 생산되는 대로 탑승해 지정 위치로 이동해!"

"마법 병단 분들! 어서 성벽 위로 올라가 주세요!!"

"일반 병사들은 성벽 아래에서 화기를 받고 올라가! 멍때리지 말고!"

부사관과 장교들이 악을 쓰며 병사들을 이끌었다. 이제 막 지하도에서 올라온 병사들이 정신없이 성벽을 오른다. 성벽의 높이가 50미터가 넘어서니 일반적인 병사라면 계단을 오르다 사망자가 나와도 이상할 게 없는 강행군.

그러나 그럴 수밖에 없는 상황이다.

척척척.

아무 말 없이 동문 방향으로 다가오는 것은 검, 창, 망치, 도끼, 활 등을 들고 있는 외눈박이 거인, 사이클롭스(Cyclops).

[목소리는 같지만 발이 4개가 되기도 하고 2개가 되기도 하고 3개가 되기도 하는 것은 무엇인가?]

[두 자매가 있다. 서로가 서로를 낳는 데 둘은 누구인가?]

[오전에 컸다가 정오에는 다시 작아지고 오후에는 다시 커지다가 밤에 사라지는 것은 무엇인가?]

끝없이 질문을 날리며 서문으로 몰려오는 것은 짐승의 몸에 인간의 얼굴을 가진 거대 괴수. 스핑크스(Sphinx).

[크오오오!!]

[크아아아앙!!]

[우아아아아!!]

남문 방향으로는 녹색 비늘을 가진 지룡, 포레스트 드레이크(Forest Drake)가 몰려온다. 총화기가 안 박히는 비늘, 한 번에 수십 미터를 뛰는 각력에 강철도 녹아버리는 산성 브레스를 뿜는 괴물들이다.

[불민한 자들에게 죽음의 안식을 선사하라.]

[우리는 그들의 끝이 되리라.]

[우리는 그들의 시작이 되리라.]

마지막으로 북문 방향으로 다가오는 것은 어둠의 기운

을 휘감고 있는 데스나이트 군대.

'살벌하구만.'

새로 정복한 이곳은 대륙의 정중앙, 천원이다.

이것이 무엇을 뜻하는가?

'이 주변 몬스터가 리벤지 최고 수준이라는 뜻이지.'

점령해 봐야 지킬 수도 없는 곳이기에 이곳은 내가 가끔 와서 청소하기 전에는 아무런 터치도 당하지 않았고 그 덕에 몬스터들의 숫자와 수준은 그야말로 상상을 초월하는 수준이다.

아무리 신화급 성벽에 기대고 있다 해도…… 저 정도 수준의 몬스터가 십만 단위로 몰려들면 절대 막을 수 없겠지.

물론, 그렇다고 병사나 길드의 플레이어들이 공포에 질리거나 했다는 건 아니다.

왜냐하면 지금 암흑성에는 인류제국 최강 최고의 전력.

황제가 있었기 때문이다.

"야, 이 새끼들아! 우리가 제대로 못 막아서 황제폐하께서 저것들 다 쓰러트리는 모습을 보고 싶나! 폐하께서 이것들은 내가 지켜 주지 않으면 제 목숨도 간수하지 못하는 한심한 놈이라고 생각하시게 할 생각이야!?"

"아닙니다! 중대장님!"

"황제폐하께서 보고 계신다! 우리 불소나기 길드가 공성전에서 최강이라는 걸 보여드려! 어차피 위험하면 직접 도와주실 거야!"

"네, 길드장님!"

성벽 위로 올라선 병사와 길드원들이 악을 지른다. 모두가 잔뜩 긴장한 상태다. 아무리 정예에 무적의 성벽 위에 있다 해도…… 자신들보다 현격하게 강하고, 심지어 숫자마저 10배가 넘어가는 적들을 마주하고 아무렇지 않을 수는 없기 때문이다.

그리고 그때였다.

웅-!

허공에서 스파크가 튀고 공간이 일렁인다. 나는 단번에 길드 타워의 창문을 열었다.

'침략!'

바짝 긴장한다. 성벽으로 몰려드는 적들과는 상황이 다르다.

'정보가 부족해.'

어떤 상황이 벌어질지 모르니 적이 모습을 드러내자마자 쓸어버릴 생각.

그러나.

파직! 우웅---!

신화급 성벽이 한 차례 빛나더니 생겨나던 게이트가 성안이 아닌 성벽 저 멀리로 날아가 버리고-

쿠궁! 쾅!

열린 게이트에서 육중한 탱크들이 모습을 드러낸다.

"……탱크?"

그뿐이 아니다.

쿵쿵쿵!

"분대! 자리로!"

"사주 경계!"

"사주 경계해!!"

파워아머를 입은 군인들이 우르르 모습을 드러낸다. 그들은 명백히 인간. 그것도 꽤 문명화된 걸로 보이는 인간들이다.

'우주 문명…… 정도로 보이는데 묘하게 구식이군. 기가스도 없어 보이고.'

게이트는 하나가 아니었다.

파직! 우웅----!

이번에도 게이트 하나가 성벽 밖으로 튕겨 나가더니 외계인들을 쏟아 낸다.

"키아아아악!!"

"캬야악!!"

이번에는 누가 봐도 명백하게 괴물다운 녀석들이다. 두터운 갑각이 인상적인 대형 괴수부터 들개보다 조금 커 보이는 소형 괴물까지.

파직! 우웅----!

또다시 게이트가 열린다.

[합일--- 하라----]

[아버지의 이름으로----]

강렬한 영력을 풍기는 외계 지성체들이 모습을 드러낸다. 인간도 아니고 몬스터도 아닌, 그야말로 듣도 보도 못한 외계 생명체들이다.

"……아니 이거 무슨 게임이기에 콘셉트가 이렇게 통일성이 없지? 여러 게임에서 동시에 쳐들어오는 건가?"

파직! 우웅----!

마지막 게이트가 성벽 밖으로 튀어 나간다.

"크르륵---!"

"게에에엑!!"

"그어어어……."

열려진 게이트로 앞의 그 어떤 녀석들보다 추악한 괴물들이 쏟아져 내린다. 숫자도 얼마나 많은지 게이트가 열린 지 고작 수 분 만에 그 수가 수천을 넘어 수만에 이를 지경!

그리고 그들을 향해.

[뭐냐, 이 혐오스러운 것들은.]

외눈박이 거인이 자세를 잡는가 싶더니-.

천명용신류(天明龍神流).

쾌룡섬(快龍閃).

번뜩이는 검광이 부대를 가르고 지나간다.

콰드득!

부채꼴 모양으로 앞에 있는 모든 것들이 동시에 썰려 나가며 피보라가 분다.

'예리한 검격…… 말 그대로 간격 안의 어떤 적도 벨 수

있다.'

솔직히 베기 하나만 보면 절대 고수인 나와 비교해도 꿀리지 않는 수준이다. 폭넓은 무학의 이해를 추구하는 대신 좁디좁은 [영역]에 집중한 케이스.

약점이 분명한 대신 송곳처럼 강렬한 강점을 가진 검수다.

인류제국의 황제 입장에서 보자면 저런 미친 수준의 인재가 양산품처럼 찍혀 나오고 심지어 죽으면 리젠까지 되는 현실이 불합리하기 짝이 없다.

이쪽은 평범하게 태어나고, 자라고, 수련해야 하는데 저놈들은 저만한 고수가 그냥 턱턱 튀어나온다니 말이나 되는가?

'몬스터 녀석들과 소모전으로 가면 절대 안 되는 이유지.'

하물며 [사이클롭스 수련자]의 종류는 사무라이 하나뿐이 아니다.

사이클롭스 저격수, 사이클롭스 투사, 사이클롭스 무투가 등등 온갖 무학을 익힌 괴물들이 자신의 병기를 들고 살기등등하게 달려 나간다.

쩌적! 쿠쿵! 쾅!

"……저들끼리 싸우는군요. 외계의 괴물이기 때문일까요?"

"어쩌면 천원이 점령되며 뭔가 달라졌을지도 모르지."

플라워와 대화하며 상황을 지켜본다. 사이크롭스 사무

라이의 검격을 시작으로 외계의 괴물들과 아르데니아의 몬스터들이 충돌하는 모습이 보인다.

[목소리는 같지만 발이 4개가 되기도 하고 2개가 되기도 하고 3개가 되기도 하는 것은 무엇인가?]

"정답! 정답은 인간이다!"

[두 자매가 있다. 서로가 서로를 낳는데 둘은 누구인가?]

"낮과 밤! 정답은 낮과 밤이다!"

[오전에 컸다가 정오에는 다시 작아지고 오후에는 다시 커지다가 밤에 사라지는 것은…….]

"그림자! 아니 맞췄는데 왜 계속 내는 거야!"

"무슨 괴물하고 대화를 나누고 있어! 일단 쏴!"

두두두두두!

콰광!

파워아머를 입은 보병들이 스핑크스를 향해 탄환과 포격을 쏟아 낸다. 스핑크스는 온몸에 두른 신묘한 힘으로 탄환을 막아 내며 그 거대한 발톱을 휘둘러 보병을 찢고 탱크를 파괴한다.

[미개한 망령들을 죽음으로 되돌리리라---!]

[내가! 너의! 끝이 되어 주마!]

외계 지성체와 데스나이트 군대가 충돌하고.

"크아앙!"

"키아아악!"

포레스트 드레이크와 외계 괴물들이 충돌한다.

"어, 어, 뭐야. 자기들끼리 싸우는데? 어떻게 해야 하지?"

"포격을 갈겨? 갈긴다면 어디에?"

"일단 내버려 두는 게……."

비장한 표정으로 성벽을 지키고 있던 병력들이 술렁거린다.

[전원 대기하라.]

그때 전군에게 무전이 전달됐다. 초월의 감각에 한 층 아래에서 성 전체의 상황을 조망하며 병사를 지휘하고 있는 헌드레드가 감지된다.

"전원 대기!"

"전원 대기하라신다!"

그 한 마디에 군인과 길드원 모두가 숨을 죽이고 대기한다.

'……여러모로 아까운 녀석이야.'

헌드레드는 훌륭한 인재다. 정치적 감각이 뛰어나고 시류를 읽을 줄 아는 준걸(俊傑).

당장 병사 만 명을 맡겨도 능히 이끌 인재이니 삼국지의 등장인물이었다면 틀림없이 천하를 호령할 영웅이었겠지.

그러나 여기는 삼국지와 달리 개인의 무용이 중요한 세상이다.

'검술을 조금만 더 잘했으면 화점 하나를 아예 맡길 수도 있을 텐데.'

그의 경지는 고작 소드 마스터에 불과하다.

소드 마스터를 '고작'이라고 말하는 게 웃기는 일이라는 걸 알지만 34지구의 무학에 플레이어로서의 특혜를 다 받으면서 십수 년째 소드 마스터에 불과하다면 무(武)에 대한 그의 재능은 고작해야 수재 정도에 불과하다고 할 수 있다.

왜 긴 시간 검을 수련해 온 그에게 전사 타입의 신화 클래스가 아닌 사제 타입의 신화 클래스 수여했겠는가?

에드워드나 스틸스톤, 헤이즈와 달리 그의 한계가 명확하기 때문이다.

'뭐, 그래도…… 적들이 성 안으로 바로 침입해 오지 못하는 건 희소식이군.'

처음 게이트는 분명 성안에 생겨나려 했으나 성벽 밖으로 튕겨나갔다. 리벤지의 성이 가지는 공간 이동 방어가 게이트에도 먹힌다는 뜻.

이는 외계의 침입에 대비하던 인류 제국에겐 엄청난 호재다. 성안의 적을 박멸하기는 쉬워도 그 사이에 발생하는 피해는 막기 어렵기 때문이다.

'이렇게 되면 별문제 없겠는데?'

죽음의 신전을 공략하기 위해 신화급과 전설급 클래스를 대량으로 뿌리면서 상위 플레이어의 전투력이 대폭으로 증가한 상황이다.

평균 레벨이 34지구에 맞먹어 가는 인류제국이 성벽까지 끼고 싸우면 설사 상대가 신화급이라고 해도 충분히 상대할 수 있다.

그러나 그렇게 생각한 순간…… 하늘이 갈라지며 거대한 게이트가 생겨난다.

마치 미사일이 쏘아지듯 수백 개의 비행체가 아르데니아로 넘어온다.

"……전투기?"

두두두두!

콰과광!

전투기들이 초음속으로 비행하며 포격을 쏟아 낸다.

그뿐이 아니었다.

고오오---!

파란 크리스털로 이루어진 비행체가 거대한 빛줄기를 뿜어내 몬스터들을 쓸어버리는가 싶더니.

[우어어엉!]

고래보다도 큰 덩치의 괴물들이 하늘을 날며 맹독의 숨결을 쏟아 내고.

[끼에에엑!]

[캬아악!]

온갖 생명체와 기계를 이어 붙여서 만들어진 혐오스러운 외향의 거인이 몸을 일으킨다.

엄청난 물량에 서로 역할이 나눠져 있는 [군대]의 등장에 용맹하게 싸우던 리벤지의 몬스터들이 속수무책으로 밀리기 시작한다.

"군대…… 그렇군. 어디 게임인지는 몰라도 RTS가 틀림없어."

실시간 전략 게임(Real-Time Strategy)은 전략 게임의 대표적인 장르다. 하나의 종족, 세력을 골라서 다른 종족과 전쟁을 수행하는 게임.

당연하지만, 이는 별로 좋은 소식이 아니었다. 저 엄청난 수의 적들이 전략과 전술을 가지고 움직일 수 있다는 뜻이기 때문이다.

"플라워. 제국 전체의 경계 태세를 드래곤급으로 격상시켜."

"……네, 폐하."

패드를 조작하는 플라워를 내버려 두고 열려 있던 창문을 통해 밖으로 튀어 나간다.

쿵!

차원을 딛는다. 육체를, 공간을 일그러지도록 압축, 팽창시킨다.

저 멀리 공간을 찢고 튀어나오는, 우주 비행이 가능해 보이는 함선의 모습이 눈에 들어온다.

대기만성(大器晩成).

아광(亞光).

빛에 근접한 속도로 쏘아져 하늘에 떠 있던 함선의 외벽을 관통해 들어간다.

강대한 척력이 내 앞을 막아섰지만 2문명과 3문명에 애매하게 걸쳐 있는 기술력으로는 극의지체의 육신과 검강이 콜라보를 잠시도 막아 낼 수 없다.

[침입자! 침입자다!]

[아버지의 전사들이여! 목숨으로 저 불경한 자를…….]

"비켜."

앞을 막아서는 외계 생명체들을 박살 내고 마치 헤엄치듯 함선의 중앙으로 파고들어간다. 함선은 특수합금으로 만들어진 데다 그 위에 영적인 에너지까지 흐르고 있었다.

물론.

와드득!

콰득!

내 앞에서는 그저 과자 조각에 불과하다.

[마, 말도 안 돼! 무슨 짓을 하고 있는 거냐? 어째서 내 벽이 이렇게 쉽게 부서지는 거지?]

[무, 물리력입니다. 아니, 고작 물리력으로 특수 장갑을 부수며 들어간다고?]

[저, 저 괴물을 막아! 동력원으로 들어가게 놔둬서는 안…….]

쩍!

비명들이 터져 나오거나 말거나 함선의 중앙에 도착. 심상찮은 파동을 뿜어내는 거대한 크리스털을 박살 내 버린다.

쿠쿠쿵!

폭발하는 함선에서 뛰어내려 다시 몸을 날린다.

퍼억!

[우어어엉!]

온갖 괴물들을 쏟아 내고 있던 거대 괴수의 심장을 터트려 버린다.

-끽! 괴물! 괴물! 괴물이다!

-붙잡아! 붙잡아!

-못 붙잡는다! 괴물!

"괴물 놈들이 누구보고 괴물이래!"

[치명타!]

[치명타!]

[치명타!]

차원을 박차고, 뛴다. 참격을 휘두르고 다시 뛴다.

나는 일정 규모 이상의 비행체를 모조리 파괴하며 수십, 수백, 수천 킬로미터를 거침없이 날아다녔다.

그리고 그러다가 치명타가 쌓이면.

[천검-백인참(百人斬)]&[천지를 가르는 검]

대기만성(大器晩成). 아광(亞光).

쩍!

만 단위의 적이 동시에 머리를 잃고 쓰러진다. 이 모든 게 숨 쉬듯 간단했지만, 그럼에도 절로 인상이 찡그려진다. 지금 이 공격이 십만은 죽이고도 남을 데미지를 품고 있다는 사실을 알기 때문이다.

"아, 제길. 딜이 남잖아…… 이것들이 한 자리에 몰려 나와야지……."

높은 고도에 떠 대륙을 내려다본다.

초월적인 시야와 감각을 통해 대륙 전체 범위로 수천 개 이상 열리는 게이트의 모습이 보인다.

셀 수 없이 많은 게이트가 사방에서 외계의 적을 쏟아 내고 있다.

쿠구궁!

콰광!

물론 인류 제국이라고 무방비하게 당하지는 않는다. 각 성들에 위치한 방어탑들이 연신 포격을 쏟아 내고 아이템과 스킬로 무장한 플레이어들이 성 밖으로 공격을 쏟아 낸다.

그러나.

"아니, 이게 맞아? 이렇게 많이 쳐들어온다고……?"

상상을 초월하는 숫자다. 적들의 수준이나 품고 있는 신비(神祕)는 적당한 수준이지만, 이 짧은 시간에 그들이 쏟아 낸 적의 수가 수백 수천만을 넘어선다.

솔직히 내겐 다 벌레 같은 적이지만.

아무리 나라도 한 번에 제거할 수 있는 수에는 한계가

있다.

'화점은 괜찮아.'

대륙 전체를 훑은 결과 9개의 화점에는 아무런 문제가 없다는 사실을 알 수 있었다.

하기야 신화급 성벽과 무지막지한 수의 기가스를 품고 있는 화점은 초월자가 쳐들어와도 막아 낼 수 있는 요새가 아니던가?

문제는 그 외의 착점들.

전설급 성의 방호력은 물론 훌륭한 수준이지만…… 신화급 성에 비하면 그 수준이 크게 떨어질 수밖에 없다.

19레벨과 20레벨의 차이는 인간과 신의 차이이듯, 전설 성과 신화 성에도 까마득한 격차가 있는 것이다.

착점들의 방어가 무너지기 전에 적들의 숫자를 줄여야 했다

"로그아웃."

드래곤 스타로 돌아와 가부좌를 취한다.

'파천극광은 소용없다.'

지금 쳐들어오는 녀석들 중 초월자급 적은 없다. 게다가 일점(一點)을 노리는 공격이 아니라 대륙 전체를 대상으로 한 파상공세가 이어지는 상황이니 광범위하고 동시다발적인 파괴 능력이 필요하다.

'내가 마법사면 깔끔한 문제겠지만…….'

그러나 마법에 대한 재능은 아무래도 무학만 못한 데다 이제 와서 배우기에는 너무나 늦다. 가진 능력 안에서 해

결해야 하는 것.

그리고 다행히 나에게는 괜찮은 능력이 있었다.

'천문이 열린 속성계 요소들.'

내 술법 역량에 비해 너무나 깊고 완성되어 있는 요소들이다. 만약 내가 아무것도 없이 덜컥 이 요소들을 얻었다면 그 능력의 1%도 제대로 쓰기 어려웠을 정도.

그러나 다행히…… 내게는 그것들을 녹여 낼 바탕이 있다.

무공이라는 바탕이.

팟팟! 팟팟팟!

약 20분간 수인을 맺어 술식을 완성한 후 아르데니아로 들어간다.

"로그인."

화(火), 무공(武功), 천문(天門) 개방(開放).

태양신장(太陽神掌). 염천(炎天). 개(改).

화악---!

하늘에서 거대한 불꽃의 손바닥을 쏟아낸다.

쿠쿠궁!

화르륵!

반경 수백 킬로 안쪽에 있던 모든 몬스터 무리들을 명중시켜 불태운다. 사거리가 워낙 멀다 보니 정밀하지 않았지만 적들의 공세를 끊기에는 부족함이 없는 공격.

"좋아! 이대로 몇 번만 더 하면……!"

그러나 그렇게 생각하는 순간이었다.

번- 쩍!

번- 쩍!

번- 쩍!

번- 쩍!

사방에서 빛이 터져 나온다. 반사적으로 검강을 휘둘러 주변에서 발생한 폭발을 막았지만…… 그 이상을 어떻게 할 수는 없었다.

"아."

눈부신 빛. 그리고 굉음.

"이런, 미친……."

이를 악문다.

대륙 곳곳에서 버섯구름이 피어오르고 있었다.

chapter2.

광란의 크리스마스

chapter2.
광란의 크리스마스

“오늘, 용맹하고 아리따운 영혼들이 위대하신 황제폐하의 앞에서 평온한 잠에 듭니다. 누군가의 아들, 누군가의 딸, 누군가의 친구였던, 그들이 가는 길에…….”

합동 장례식이 진행된다.

나는 모두에게 모습이 보이는 높은 자리에 앉아 그 모든 과정을 처음부터 끝까지 지켜봤다.

딱히 어떤 연설을 한다거나 어떤 역할을 수행하지는 않아도, 내가 이 자리에 있다는 사실만으로 제국인들에게 큰 안정감을 준다는 이유 때문이다.

실제로 지금도 꽤 많은 제국인들이 나를 보며 두 손 모아 기도 올리고 있었다.

“내 딸…… 흑흑! 내 가여운 딸이…….”

“브레이크, 이 멍청한 자식. 자기 목숨이나 잘 챙기라니까…….”

“망할 괴물 놈들! 으아아!”

제국인들은 슬퍼하고, 또 분노하고 있었다.

부흥하다 못해 눈이 부실 정도로 발전하고 있던 인류제국 입장에서 이번 침략은 그야말로 충격적일 정도의 피해를 안겨 주었기 때문이다.

[게이트 사태]가 터진 지 고작 15년.

인류제국은 과거의 아르데니아와 비교조차 할 수 없을 정도로 많은 게 변해 버렸지만, 적어도 그 구성원의 비중은 크게 달라지지 않았다.

제국민의 대부분이 게이트 사태를 기억하고 있다.

느닷없이 게이트가 열려 가족과 고향을 잃었던 그 끔찍한 기억을.

‘지금도 무력을 숭상하는 분위기가 좀 지나친 편인데 더 심해지겠구먼…… 뭐, 내 입장에서는 크게 나쁜 것도 아니지만.’

내심 쓴웃음을 지으며 중얼거린다.

“로그아웃.”

현실로 이동한 난 바로 용병 등록증을 작동. 마탑넷에 올린 게시물을 확인했다.

[질문] : 방사능에 피폭 당한 친구가 있는데 치료 스펠은 어떻게 짜야 할까요?

↳치즈볼 : ? 병원 가면 되잖아.

↳날리쥐 : 게다가 스펠은 뭔 스펠임 그냥 공용 주문인 큐어 한방이면 끝인데. 뭐 생체력 같은 거 익혀서 못한다 해도 엄마나 아빠 중에 마법사가 있을 거 아님?

↳힘법사 : 그나저나 얼마나 좆소길래 방사능 피폭을 당해요? 노동부에 신고해요. 완치 판정 받아도 피폭이 반복되면 별로 안 좋다던데

↳흑염룡 : 그나저나 방사능 진짜 오랜만에 들어 본다…….

'역시 반응이 뜨뜻미지근하군.'

문명의 발달 방향에 따라 똑같은 병이나 장애라도 그 치료 난이도가 완전히 달라진다.

예를 들어 암(癌)의 경우 고위 마법사나 대사제급 성직자조차 치유하기가 쉽지 않거나 혹은 불가능에 가까운데 반해 의술이 발전한 세상에서는 3문명은커녕 2문명에서도 수술 한 방으로 간단히 회복시키는 경우가 허다하다.

'하기야 저들에게는 시시한 주제일 테니까.'

방사능 피폭은 암과 정확히 반대의 경우로, 순수 과학기술만 사용하려 하면 방사능 피폭을 완치시키기가 불가능에 가깝다.

방사선은 생체 세포의 DNA나 소기관, 효소를 파괴하는데 이것이 세포 단위에서 이뤄지기 때문이다.

그런데 여기에 영능이 끼어든다면?

'감기보다도 쉽지.'

[대상의 상태를 정상으로 되돌리는] 계열의 능력이라면

그게 마법이든 차크라든 신성력이든 너무나 쉽게 방사능 피폭을 회복시킬 수 있다.

문제가 있다면…… 그 쉬운 난이도에 비해 많은 마나가 소모된다는 점이다.

↳질문자 : 피폭된 환자가 좀 많아서요 ㅠㅠ 혹시 마나 소모량을 줄일 수 있는 방법이 없을까요? 대기와 대지가 방사능으로 오염되어서 처리도 해야 하고…….

↳힘법사 : 그런 건 굳이 질문 올리지 말고 인터넷에서 검색하세요.

↳흑염룡 : ㅇㅇ 질문 별로인 듯

예전에 했던 마법 관련 질문들과 달리 반응이 아주 안 좋다. 그들의 관심사도 아니고 스펠을 짜는 재미조차 없는 주제였기 때문일 것이다.

"하…… 별수 없군."

투덜거리며 인터넷과 논문을 뒤져 관련 주문들을 찾아 아르데니아로 돌아간다.

"수고하셨습니다. 폐하."

"감사합니다. 폐하."

"영광이었습니다."

제국인들의 인사를 받으며 길드 타워로 돌아간다. 이번 침략의 후폭풍 때문에 수많은 플레이어들이 길드 타워를 정신없이 오가고 있다.

"집무실로."

[길드 마스터 한재연. 인증되었습니다. 최상층으로 이동합니다.]

올라가는 엘리베이터에서 '방사능 제거' 주문과 '방사능 물질 제어' 주문을 게시판에 업데이트 한다.

모두가 바쁜 지금, 당연히 나 역시도 쉴 시간이 없다.

'제길. 피해가 너무 커.'

다행히 핵폭탄 공격이 인류제국의 존폐(存廢)를 논할 정도는 아니다. 인류제국의 구성원들은 대부분 성 안에서 살고 있고 성은 강력한 방호력을 갖추고 있기 때문이다.

특히나 신화 등급의 성들은 지근거리에서 핵폭탄이 터져도 아무런 타격이 없었다. 심지어 성벽 위에 서서 핵폭발을 두 눈으로 본 병사들조차 그저 잠시 눈이 멀고 공기가 뜨겁다고 느낀 게 전부였을 정도.

그러나 전설급 성은 달랐다.

전설급 성 역시 핵폭발을 막아 냈지만…… 신화성과 달리 핵폭탄이 두 발 이상 터지면 기어코 방어가 뚫리고 말았다.

뚫린 방어 너머로 쏟아진 열기와 충격파. 그리고 방사선까지…….

클래스의 힘으로 강력한 생명력을 가지게 된 플레이어

들은 경상이나 중상 정도에 그쳤지만 플레이어가 되지 못한 인원들은 너무나 허무하게 목숨을 잃어버렸다.

'특히나 아이들.'

이번 침공으로 인해 발생한 피해의 3분지 1이 아이들이다. 괜히 인류제국의 분위기가 초상집을 방불케 하는 게 아니다.

'심지어 지하대로도 문제지.'

100미터라는 깊이 덕분에 엄청난 피해가 발생하지는 않았지만 그럼에도 상당 부분의 지하대로가 무너져 내리고 말았다.

'매몰 인원이 정확히 추산도 안 되는 상황…… 게다가 성들 간의 교류도 심각할 정도로 위축되었어. 사람들이 화점을 벗어나고 싶지 않아하게 되었다.'

길이야 내게 신화급 펫, 랜드웜을 수여 받은 스틸스톤은 지하대로를 새로 뚫으며 사람들을 구출하고 있으니 머지않아 복구하겠지만 지금까지처럼 일반인들도 대규모로 지하대로를 이용하기까지는 상당한 시간이 걸릴 것이다.

두두두!

콰콰앙!

"괴물 놈들이 또 왔다! 막아!"

"역겨운 외계생명체 놈들!"

나는 길드 타워 정상에서 성을 향해 포격을 쏘아내는 탱크를 바라보았다.

굳이 나가서 싸우지는 않는다. 녀석들의 수가 성의 방호력을 뚫기엔 턱없이 모자란 수준이었기 때문이다.

문득 멀린과의 대화를 떠올렸다.

"그럼 로그아웃을 너무 길게 하지 않는 게 좋을 거라고 한 게……."

"하루에 한 번은 웬만한 일이 없는 한 로그인해야 할 거야. 내 한 몸 간수하기는 어렵지 않지만 민간인 피해를 막을 길이 없으니까."

그의 말대로 로그아웃을 길게 하면 안 되는 상황이 되었다.

다른 게임의 몬스터들은 내가 로그인 할 때마다 게이트를 열고 모습을 드러냈고…… 등장하는 몬스터의 수는 내가 '현실에서 머문 시간'에 비례기 때문이다.

별생각 없이 로그아웃을 일주일 이상 했다간 뭘 어떻게 할 틈도 없이 인류제국이 멸망할 수도 있다.

'현실에서 일이 있더라도 하루…… 아니, 안전하게 6시간에 한 번씩은 로그인해야 한다.'

맘 같아서는 아예 아르데니아에서 몇 년쯤 머물며 인류제국의 상처를 보듬고 싶었다. 내가 아르데니아에서 아예 살면 다른 게임의 몬스터들이 쳐들어올 일도 없지 않겠는가?

그러나 그럴 수 없다.

과금력이 떨어졌기 때문이다.

'제길, 그렇게 많았는데…….'

이번 공격으로 인류제국이 입은 피해는 인명 피해뿐이 아니다.

재산 피해도 엄청나다.

성벽이 파괴된 전설급 성들은 그 어떤 기술로도 복원할 수 없다.

그것들에 적용된 기술이 인류제국의 이해를 넘어서는 수준이기 때문이다. 오로지 다이아의 축복만이 그것을 원 상태로 되돌릴 수 있었다.

그뿐이 아니다.

'아예 박살 난 설치물들은 아예 새로 사야 한다……!'

그건 정말 끔찍한 지출이었다. 심지어 전설급 성에서만 발생한 피해도 아니다. 신화급 성들에도 득달같이 매달려 방어 타워와 수성 오브젝트를 파괴한 일이 제법 있었기 때문이다.

그깟 게임의 부속 건물이 얼마나 되냐고 물을 수 있겠지만…… 신화급 성은 방어 타워와 수성 오브젝트만 새로 사려고 해도 3억이 넘는다. 심지어 나는 신화 성을 9개나 가지고 있지 않던가?

시야 한편을 보았다.

(166,900원)

한동안 돈 치트라도 친 것처럼 충만하던 과금력이 10

만원 단위로 떨어졌다. 당장 급한 과금은 다 했지만 과금력이 이래서야 뭘 할 수가 없다.

나는 머리를 굴렸다.

'지금 들어올 돈이 뭐가 있지?'

일단은 웹소설 인세가 있다. 내가 뭐가 되었든 시기가 어쨌든 한 달에 한 번씩 꼬박꼬박 들어오는 든든한 국밥 같은 수익!

용병 일을 하는 동안에도 연재는 당연히 이어 가고 있다. 넘치는 분량을 모조리 예약 걸어 둔 상태였으니 반년 이상은 신경 쓰지 않아도 계속 수익이 들어온다.

'개런티도 아직 남은 게 있고…… 용병 수당을 할부로 받은 것도 있지.'

그러나 그것들의 금액은 그리 많지 않다. 다른 이유가 아니라 나 스스로가 할부를 별로 좋아하지 않았기 때문이다.

당장 써야 할 돈이 얼마인데 그걸 할부로 받겠는가?

"하."

한숨이 절로 나온다. 마음 같아서는 당장이라도 로그아웃 해 용병 일을 뛰고 싶지만…… 그럴 수가 없다.

오룡이와의 스케줄이 잡혀 있었기 때문이다.

'그것도 무려 14박 15일.'

얼마 전만 해도 아무 문제없던 일정이 '로그아웃 시간'이 중요해짐에 따라 발목을 잡게 되었다.

무려 15일이나 놀러 가야 하고, 그동안 돈을 벌 수 없다는 건 나와 인류제국에 꽤 심각한 문제.

'무엇보다 별로 여행 가고 싶은 기분이 아니야.'

거의 50만에 가까운 사상자가 발생했다. 인류제국의 총 인구가 1,000만 명에 불과하다는 걸 생각해 보면 그야말로 파멸적인 피해.

'여행을…… 미뤄 달라고 할까?'

순간 그런 생각이 들었다.

"……."

한참을 가만히 있다 결국 고개를 흔든다.

안 된다.

오룡이들은 지금껏 아무런 대가 없이 내 모든 일에 두 손 걷고 나서왔다. 지금 이 여행은 지금껏 해 주기만 한 그녀들이 정말 드물게도 내게 요구한 일이 아니던가?

심지어 그녀들은 숙소도 식당도 다 예약해 두었다. 수성에 단 하나 있는 세계수의 경우는 하루를 통째로 비워 놓기까지 한 상황.

무엇보다 그녀들이 요번 여행에 거는 기대가 너무나 크다.

'아무리 오룡이가 착해도 한계가 있어.'

여행 일정도 오룡이가 짜고 예약도 그녀들이 했으며 그 과정에 필요한 모든 금전적 부담도 그녀들이 졌다. 나는 말 그대로 빈손으로 따라가는 수준.

그런데 갑자기, 뭐 대단한 사연이 있는 것도 아니고 그냥 돈을 더 벌어야 한다며 여행을 파투 낸다면 오룡이들이 얼마나 모멸감을 느끼겠는가?

오룡이가 합체해 나를 찢어 죽여도 할 말이 없는 무례다.

'별 수 없군…… 3시간에 한 번씩 로그인해서 끊어 치는 수밖에.'

그렇게 결론을 내리고는 자리에 앉는다.

"로그아웃."

드래곤 스타로 돌아간다. 자동 사냥을 돌린 채 마탑넷에 접속해 스펠들을 읽고 있으니 공간을 넘어 루비가 모습을 드러낸다.

"이제! 3시간 후면 출발이다!"

환호하는 루비의 모습에 쓰게 웃는다. 역시 이걸 취소하는 건 말이 안 되는 일이었다.

"그래. 이제 금방이네."

"응응! 너무 기대된다! 나 옷도 마흔 벌이나 챙겼어!"

"아니 아무리 14박 15일이라도 그건 좀 많은 거 같은데……."

도도도 달려온 루비를 안고 잡담을 나눈다.

"로그인."

"로그아웃."

그녀에게 들리지 않게 아르데니아를 오간다. 로그인 할 때마다 조금씩 등장하는 몬스터들은 별문제 없이 격퇴된다. 가끔 핵폭탄을 들고 나오는 유닛들은 내가 직접 나서서 처리했다.

"그런데 재연아. 요새는 그 주식 안 보네."

"아, 그거…… 아는구나?"

"아는구나. 라니 그걸 어떻게 몰라? 틈만 나면 주식 앱 켜고 저 고양이가 울기라도 하면 깜짝 놀라서 앱부터 켰으면서."

"아이고……."

아무리 나라도 여기에서는 부끄러울 수밖에 없다. 머리를 긁적이는 내게 루비가 묻는다.

"그래도 요새는 그거 안 봐서 좋다. 주식은 이제 안 하는 거야?"

"안 한다기보다 못하는 거지. 아무래도 돈이 부족하기도 하고…… 나중에 해야지."

거기까지 이야기했을 때였다.

팟! 팟! 팟! 팟!

공간을 열고 플라워와 사파이어. 흑요와 스노우까지 모습을 드러낸다.

"이제! 출발이다!"

"와 안 늦었다! 바로 출발하자!"

"후후. 기대되는 걸."

"얼른 일어나요."

환한 얼굴로 나를 재촉하는 오룡이들을 보며 생각한다.

'그래 마음 느긋하게 먹자…….'

준비도 필요 없이, 즉시 출발한다.

14박 15일의 여행을.

* * *

우리는 준비된 유람선을 타고 지구를 떠났다.

사실 지구에서 수성까지 2시간 반 정도 걸리는 [천국의 배]는 그리 빠른 교통편은 아니다. 하기야 수송선도 전함도 아닌 유람선이 굳이 빨라야 할 이유도 없겠지.

"고요하네요."

역장에 의해 보호받고 있는 선상의 좌석에 앉아 있는 내게 플라워가 다가온다. 어깨를 훤히 드러낸 오프 숄더 드레스에 목에 걸린 녹주석이 인상적이다.

"그러게. 꼭 맨몸으로 우주를 날아가고 있는 것 같아."

실제로 내게는 익숙한 감각이다. 지금의 난 우주 공간에 내던져져도 별문제 없이 버틸 수 있고, 그 능력을 기반으로 몇 차례 우주전도 경험한 상태이기 때문이다.

"후후. 천국의 배가 자랑하는 기능 중 하나죠. 맨몸으로 우주를 느낄 수 있고 역장의 보조로 별들의 모습이 더 또렷하게 보이거든요."

그녀가 내 옆에 바짝 붙어 우주를 올려다본다. 그녀의 팔이 들리더니 늘씬한 손가락으로 우주의 한 지점을 가리킨다.

"보이시나요? 드래고니안이에요."

"드래고니안?"

그녀의 말에 시선을 돌려봤지만 무수히 많은 별들 중

정확히 어떤 별을 말하는지 알 수 없다.

'아니, 그게 아니라 드래고니안이 보일 리가 없지 않나?'

드래고니안. 혹은 드래고니아라 불리는 용들의 고향은 지구와 너무나 멀리 떨어져 있는 행성이다.

관측 가능 우주(觀測可能宇宙. observable universe). 그러니까 흔히 가시 우주(특정한 물체가 내는 각종 파장 등의 신호가 '원리상' 현재 지구에 닿을 수 있는 범위. 지구를 중심으로 465억 광년)라 불리는 영역 밖에 있으니 아무리 육체 능력이 뛰어나도 눈으로는 볼 수 없는 존재인 것이다.

그러나 플라워가 가리킨 방향으로 정신을 집중하자, 초월적인 영감이 어떤 이미지를 그려 낸다.

[크아아아앙---!]

그것은 포효하는 황금의 용.

당연하지만 진짜로 울음소리가 들린 건 아니다. 말 그대로 이미지일 뿐이었다.

"……이건?"

황당해 웃는다. 여태 이걸 못 느꼈다는 사실이 오히려 놀라울 정도.

"오래전에는…… 우리 용족 역시 야만적인 토착 생물이나 다름없었어요. 심지어 아주 희소하고 번식도 힘든, 그야말로 멸종 위기종이죠."

어느새 내 오른팔을 꼭 안은 채 플라워가 말을 잇는다.

"초월적인 마력과 지성을 타고나 원시 문명이나 하위

문명에서는 신으로 추앙 받지만…… 소통하지도 사회의 일원이 되지도 못하는 그들은 그저 우물 안 개구리일 뿐이죠. 다른 지성종들이 무리를 이루고 문명이 발전하면 사냥당해 가죽이 벗겨지고 심장이 뽑히는 경우가 드물지 않게 벌어질 정도로요."

플라워가 나직이 속삭이고 있을 때 언젠가 자랑했던 드레스를 입은 흑요가 내 왼쪽으로 다가와 앉는다.

"미개하고 하찮지. 용종은 거대한 가능성을 가진 존재지만…… 아무리 대단한 힘을 가지고 태어나 봐야 [문명]을 이루지 못하면 그저 야생의 짐승과 다를 바 없어."

"하지만 어쩔 수 없지. 용종은 수가 너무 적으니까. 다른 동종을 만나서 무리를 이뤄야 하지만……. 초월자에게도 우주는 너무나 넓지."

내 품에 쏙 안겨 든 루비의 말대로 초월자들에게도 우주는 너무나 넓다.

하급 초월자만 해도 하위 문명에서는 신으로 추앙받는다지만…… 그중에서 제 힘으로 우주를 여행할 수 있는 이가 과연 몇이나 되겠는가? 혹여 그것이 가능하다 해도 수십억 광년은커녕 자신의 항성계조차 쉽게 벗어날 수 없을 것이다.

어느새 다가온 스노우가 입을 열었다.

"황금용신께서 승천(昇天)하실 적 자신의 육신을 빚어 만든 드래고니안은 초월자라면 우주 그 어디에서도 그 존재를 감지할 수 있어요. 용종이라면 심지어 정보 전달까지 가능하죠."

"덕분에 우리 용족들이 사회라는 것을 만들 수 있는 토대가 되었지."

어느새 오룡이들 전부가 내게 밀착해 있다. 하나같이 절세의 미모를 가진 그녀들이 나 한 명에게 붙어 있는 것은 여러모로 굉장한 광경이지만, 천국의 배에서는 소란이 일지도 시선이 몰리지도 않았다.

왜냐하면 현재 이 여객선은 우리가 전세 내고 있는 상황이기 때문이다.

"그래도 쉽지는 않았겠네."

내 말에 오룡이들이 약속이라도 한 것처럼 동시에 한숨을 내쉰다.

"쉽지 않은 정도가 아니라!"

루비의 비명과도 같은 한탄, 흑요도 한숨 쉬었다.

"하…… 맞다. 소위 [문명]이라 불릴 만한 규모가 되기까지 거의 몇만 년이 걸렸지."

"거기에 사회성이 떨어지다 못해 개념이 없는 미친놈이 얼마나 많은지…… 진짜 엄청 고민했어!"

"했어?"

"했어었…… 다고 들었지. 용종이라면 다들 배우는 역사야!"

어색하게 웃는 루비와 그런 그녀를 째려보는 사룡이.

'생각 이상으로 허당이네, 이 녀석들. 정체를 숨길 생각이 있냐?'

그녀의 정체를 미리 알고 있지 않은 이상 그냥 넘길 만한 이야기이긴 하지만 그래도 너무 흘리는 편이다.

'하기야 예전부터 그랬지.'

좋아하는 여성 앞에서 할 말 못할 말 못 가리고 아무 말 대잔치를 하는 중학생처럼 그녀들은 내 앞에서 쉽게 속내와 감정을 드러낸다.

내가 가진 힘, 재산, 배경에 상관하지 않는다는 점에서 그녀들의 사랑은 가장 순수하고 원초적인 것이라 할 만하겠지.

'정말…… 너무 형편 좋은 일이군.'

너무나 좋은 일이라서 불안할 정도다. 어째서 그녀들이 이렇게까지 나를 사랑해 주는지 이해하기 어려웠기 때문이다.

콱.

"읏."

"하우……."

두 팔을 벌려 그녀들을 안아 주자 오룡이들의 얼굴이 새빨개진다. 나는 그녀들을 안은 채 우주 저 멀리 느껴지는 드래고니안의 기운을 느꼈다.

뭔가 감상에 젖어 있는 듯한 오룡이들과 함께 아무 말 없이 한참이나 그렇게 있었다.

"로그인."

물론 그 와중에도 종종 아르데니아와 현실을 왕복한다. 몬스터의 침입을 끊어 받아야 했기 때문이다.

"탱크의 포격이다! 실드를 집중해! 성의 보호막에 마나가 부족하다!"

"정찰조를 계속 보내! 은신하고 접근하는 괴물 놈이 핵폭탄이라는 걸 터트린다!"

방어는 순조롭다. 적들은 전략 게임 출신답게 꽤 전략적으로 움직였지만, 로그인을 짧게 끊어서 하는 이상 각개격파당할 수밖에 없다.

"로그아웃."

아르데니아의 상황이 어느 정도 안정시킨 후 다시 현실로 돌아간다.

"도- 착이다!"

"바다다!"

우리는 태양계의 첫 번째 행성, 수성에 도착했다.

오룡이들은 잔뜩 흥분해서 숙소에 짐을 풀었다. 말이 좋아 숙소지 온갖 시설로 가득 차 있는 데다 오색의 유리 자갈로 이루어진 해변까지 낀 거대 궁전이다.

"여길 통째로 빌린 거야?"

"모처럼 놀러 왔는데 다른 사람하고 같이 지낼 수는 없으니까!"

상쾌한 목소리에 어질어질하다.

'아니…… 여길 1시간만 전세 내도 억 단위로 돈이 들 텐데 14박 15일을?'

그야말로 미쳐 버린 수준의 플렉스다. 아무리 드래곤이라고 해도 그렇지 이 정도 소비를 당연하다는 듯이 하다니.

"빨리 빨리! 수영 좀 하다가 밥 먹자!"

"……그래그래."

재촉하는 오룡이들의 손에 이끌려 바다에 뛰어든다.

좌악!

휴양을 목적으로 테라포밍된 수성의 물은 짜기는커녕 마시면 건강해질 정도로 깨끗하다. 게다가 물 자체에 강력한 마법적 처리가 되어 있어 쏟아지는 태양열을 흡수해 외부에서는 불가능한 온갖 마법적인 현상을 일으킬 수 있다.

퍼엉!

"와----! 아------! 아!"

파도가 치며 스노우의 몸이 수십 미터나 날아간다. 떨어질 때에는 바닷물이 거대한 솜이불처럼 부드러이 그녀의 몸을 받아 든다.

여기 있는 이들은 맨몸으로 대기권에서 떨어져도 다칠 일 없는 초월자들이지만 하나같이 아이처럼 좋아하며 물놀이를 즐긴다.

나에게도 그리 나쁜 시간은 아니었다. 절세 미녀인 오룡이들이 수영복 차림으로 노는 모습이 꽤 볼만했기 때문이다.

"로그인."

"로그아웃."

그러나 그렇다고 마냥 즐거이 휴가를 즐길 수는 없다.

아르데니아의 상황이 썩 좋지 않았기 때문이다.

"폐하. 지하대로 K16-K15 구역과 Q7-Q6 구역에 공격이 들어왔습니다!"

"즉시 대로를 차단하고 폭풍성의 대응 부대를 출격시켜. Q7에는 내가 간다."

"전달하겠습니다!"

로그인, 로그아웃을 짧은 시간 내 여러 번 한 덕분에, 한 번에 쳐들어오는 몬스터의 수에 제한이 걸리자 한동안 피해가 없었었다.

애초에 천만 단위로 몰려왔을 때에도 점령된 성이 없는데 지금에 와서 제대로 된 공성전이 이뤄질 리가 만무한 상황.

문제는 적들이 그 사실을 깨닫게 되자 모자란 수로 성벽에 돌진하는 대신 전투 양상을 바꿨다는 점이다.

'테러…….'

웜 형태의 괴물들이 땅을 파고 들어와 지하대로에 괴물들을 쏟아 낸다. 제국민으로 변장한 적이 핵 가방을 들고 성 안에서 침입하려 시도했다. 정신을 다루는 외계인 놈들이 성벽 위의 병사들을 조종해 폭탄을 터트리거나 서로를 상잔시킨다.

"키에에엑!"

-괴물! 이 괴물! 날 어떻게 찾…….

퍼억!

땅굴을 파고 다니던 괴물과 멀리서 괴물을 지휘하던 지휘형 개체 모두를 베어 버리고 천원으로 복귀한다.

그러나 이미 피해는 발생한 후다.

"젠장."

집무실에서 조용히 이를 갈았다. 피해도 피해지만 이 망할 놈들의 테러 때문에 물류의 이동이 경직되고 있다. 착점과 화점은 성의 강력한 방호력에 보호받지만 그 사이의 길은 그렇지 않기 때문이다.

'그렇다고 지하대로를 봉쇄할 수도 없다.'

인류제국의 풍족한 물자는 모두 던전에서 나오는 것이고 특정한 아이템은 당연히 특정한 던전에서만 나왔다.

그런데 물류의 흐름이 막힌다면?

어디에서는 음식이 너무 많아 내다 버리는데 어디에서는 기아로 집단 아사가 발생할 수 있다.

"……로그아웃."

수성으로 돌아온다. 막 식사를 마친 참이다.

"쇼핑하러 가자, 쇼핑!"

잔뜩 흥분한 루비가 신나서 소리친다.

"쇼핑 좋지. 갈까?"

아르데니아의 상황 때문에 솔직히 좋은 기분이 아니었지만 그걸 티낼 정도로 애송이가 아니다.

"쇼핑이라면……. 그 유명한 머큐리 센터인가."

"드래고니아에서도 꽤 유명해! 돈 많은 34지구인 만큼 온 우주의 물자가 다 모인다던데!"

기대에 찬 오룡이들의 말을 들으며 비행선을 탄다. 초고속 비행선이 고작 10여 분 만에 수성의 하늘을 가로질러 목적지에 도착한다.

"메~ 리~ 크리스마스!"

"즐거운 성탄절 되세요!"

우리가 놀던 해변은 한여름이었는데 이곳에서는 눈이 내리고 있다.

"……크리스마스?"

멈칫하는 내 모습에 오룡이들이 어이없어 한다.

"와! 너무하다, 진짜! 오늘이 크리스마스인 걸 아예 몰랐다고?"

"재연 씨 정말…… 우리가 왜 꼭 오늘 오자고 했겠어요?"

"솔직히 상처다."

오룡이들의 비난에 식은땀이 절로 난다.

"미, 미안! 요새 정신이 없어서……."

로그인&로그아웃 능력은 대우주 전체를 뒤져 봐도 비견할 권능이 몇 안 되는 사기 능력이지만 그럼에도 굳이 단점을 꼽자면 사용자의 시간 관념이 엉망이 된다는 점이다.

한쪽 세상에서의 찰나가 나에게는 몇 년, 심하면 몇십 년일 수도 있다. 오늘의 가족 같은 친구가 내일은 추억 속 존재일 수 있는 게 로그인&로그아웃 능력인 것이다.

"흥! 우리 옷 좀 보고 올 테니까 벌로 여기에 가만히 서 있어요."

"맞아, 맞아! 어디 갈 생각하지 마!"

"우우! 재연이 나쁘다 나빠!"

야유를 보내며 오룡이들이 머큐리 센터로 떠나 버린다.

나는 머큐리 센터의 입구에서 잠시 멍하니 있었다.

"어머, 뭐야. 바람맞은 건가?"

"여자를 다섯이나 끼고 다니더니, 쯔쯔……."

"크리스마스에 뭔 일이래. 후후후."

내 옆을 지나치는 무수히 많은 사람들의 수군거림에 절로 한숨이 나온다.

"아이고……."

화 낼 것도 섭섭해할 것도 없이 명백한 내 잘못이었다. 아르데니아의 상황에 너무 몰입해 현실을 등한시한 것이다.

데이트를 하면서 넋이 나가 있는 셈이니 이는 변명할 수 없는 무례다. 아무리 오룡이라 하더라도 화가 나지 않을 수 없을 것이다.

"집중해야지, 집중."

그렇게 생각했을 때였다.

툭.

갑자기 수성이 어두워졌다. 주변에 불이 꺼진 정도가 아니라…… 주변 전체가 어두워졌다. 마치 하늘의 태양이란 광원이 백열전구처럼 꺼져 버린 상황.

"뭐지?"

반사적으로 마나를 끌어올릴 때였다.

팟!

바닥에 불이 들어왔다.

"……?"

너무나 뜬금없는 일에 멍하니 조명을 바라본다. 그리고 이어서.

팟! 팟!

팟팟팟팟!

저 멀리서부터 바닥에 조명이 들어오더니 마치 빛의 길처럼 주욱 이어져 내 앞까지 달려든다.

'갑자기 뭐지? 이벤트인가?'

당황하는 사이 젊은, 한 20대 초반으로 보이는 남성이 내 앞으로 나선다. 당연하지만 전혀 모르는 남. 그러나 그러거나 말거나 그는 큼큼, 하고 잠시 목을 풀더니.

시작했다.

"음?"

노래를.

-I don't want a lot for Christmas.

-크리스마스에 많은 걸 바라지 않아요.

-There is just one thing I need.

-필요한 건 단 하나뿐이에요.

수준급의 실력과 발성, 이어 벤치에 앉아 시시덕거리고 있던 커플이 몸을 일으킨다.

-I don't care about presents Underneath the Christmas tree.

-트리 아래의 선물은 필요 없어요.

-I don't need to hang my stocking There upon the fireplace.

-난 벽난로 위에 양말을 걸어 놓을 필요가 없어요.

가이드의 안내를 따라 머큐리 센터를 종횡하던 단체 손님들이 각자의 가방에서 온갖 악기를 꺼내 마치 준비하고 있던 것처럼 자리를 잡고 연주를 시작한다.

-Santa Claus won't make me happy With a toy on Christmas day.

-크리스마스에 인형 같은 것으로는 산타는 나를 행복하게 하지 못해요.

"……뭐야, 이게?"

평범한 관광객처럼 보이던 수천수만 명의 사람 중 그 누구도 당황하지 않는다. 이들 모두가 준비된 인원이란 뜻이다.

-I just want you for my own.

-나만의 당신을 원해요.

-More than you could ever know.

-당신이 생각하는 것보다 더.

어머니와 자식으로 보이던 이들이, 연인으로 보이던 이들이, 부부로 보이던 이들이 각자 춤을 추기 시작한다. 그들은 각자 춤을 추다가 점점 모이고 모인다.

한 명, 두 명, 열 명, 스무 명.

백 명, 이백 명, 천 명, 이천 명.

노래가 계속될수록 그 인원이 점점 늘어간다. 주변을 지나가던 사람들이 하나둘 그 대열에 참가해 거대한 군무를 이룬다.

—Make my wish come true.

—내 소원을 이루어 주세요.

"……."

나는 바닥에 일자로 죽 이어진 빛을 따라 걸었다. 어느새 머큐리 센터 전체가 떠들썩하다.

—All I want for Christmas~

—크리스마스에 바라는 건~

마침내 머큐리 센터에 있던 모든 사람들이 춤을 추며 노래하기 시작했다.

퍼벙! 펑!

고오오———!

하늘에서 화려한 빛들이 폭발하고 빛으로 이루어진 온

갖 환상종들이 하늘을 가로지른다.

그리고 빛나는 길을 따라 복도를 지나고 계단을 오르자.

머큐리 센터 옥상에 그녀들이 있었다.

"Is you."

아름다운 다섯 여인이 환히 웃으며 나를 반긴다.

"아."

입이 절로 벌어진다. 감동해서는 아니다.

'와.'

그저 이런 생각만 든다.

'이게 다 얼마야…….'

너무나 속물적인 생각이었지만 그런 생각이 들 수밖에 없었다. 세상에, 머큐리 센터를 전세 낸다니 듣도 보도 못한 발상이다.

게다가 인건비 비싸기로 유명한 34지구에서 배우 수천 수만 명을 동원하려면 대체 얼마가 든단 말인가?

이런 건 단순한 [돈]이 아니라 [예산]이 들어갈 일이다.

"헤헤! 놀랐지?"

"흠흠. 우리가 좀 화냈다고 서운해하지는 말고."

"지구에서는 크리스마스가 연인 사이에 중요한 날이라고 하죠? 그래서 준비해 봤어요."

화사하게 웃으며 오룡이 내게 다가온다. 그리고 그들의 한가운데에는 작은 함을 들고 있는 플라워가 있었다.

"……그건?"

정신을 바짝 차린다.

연기 잘해야 한다.

그녀들이 이렇게나 신경 써 이벤트를 해 주었는데 '저거 하느니 돈으로 주지.' 이런 좀스러운 생각을 한다는 걸 들켜서는 절대 안 된다. 우리들의 관계가 끝장나고 말 것이다.

"오늘을 기념하는 우리의 선물이에요."

"그거 준비하느라고 비상금을 탈탈 털었어!"

투덜거림을 들으며 함을 받아 든다.

'뭐지? 이렇게까지 힘주며 주는 선물이라니.'

초월병기라도 되나? 하는 생각을 하며 함을 열었다.

거기에는 금속으로 만들어진 카드 한 장이 있었다.

"……?"

의아해하며 거기에 쓰인 글자를 읽는다.

[네메시스 소프트 주권]

[365만 9,760주.]

"……."

잠시 멍하니 바라만 본다. 플라워가 자애롭게 웃으며 말한다.

"예전부터 보니까 그 주식에 관심이 많아 보이시더라고요. 단순한 투자 욕구를 넘어서는 것 같아서 준비해 봤어요."

"블록딜이다 뭐다 얼마나 골치가 아프던지……."

"맞아, 맞아! 우리가 다 찾아가며 해야 했다니까!"

깔깔 웃는 오룡이들의 목소리가 저 멀리서 들리는 듯하다.

떨리는 손으로 그 카드를 잡는 순간.

팟!

내 안에 뭔가가 차오르는 느낌과 함께 눈앞에 텍스트가 떠오른다.

소유율 : 15.3%.

활용 가능 : 5,715,001.

나는 그만 손을 들어 입을 틀어막고 말았다.

"……어머."

감동이 쓰나미처럼 밀려온다.

연기를 한다는 생각은 이미 날아간 지 오래로, 오히려 오버하지 않기 위해 노력할 정도다.

"아니, 어, 어떻게……."

말까지 떨려 나온다. 어쩔 줄 모르는 내 모습에 오룡이들의 표정이 활짝 펴진다.

"휴! 다행히 정답이었네."

"마음에 들어요?"

"이건…… 마음에 든다 수준이 아닌데."

문자 그대로 상상도 못한 선물이다. 단순히 비싼 게 문제가 아니다. 내가 가장 간절히 바라고 소망하던 그것을 선물로 준 것!

다만 충격이 가시고 나니 이성이 돌아온다.

"아니…… 그런데 아무리 그래도 이렇게 줘도 되는 거야?"

지금 이 주식이 돈으로 얼마나 될지 제대로 가늠도 안 된다. 34지구 원툴이던 리벤지가 우주급 게임이 되면서 주식이 미친 듯 올랐을 게 뻔한 상황이기 때문이다.

"뭐 큰돈이긴 해도 감당 못할 정도는 아니지!"

"그리 무리한 것도 아니니 너무 걱정하지 마요."

"널 위해서라면 뭐…… 후후."

잘난 척하는 오룡이들의 모습이 너무나 사랑스럽다.

"그나저나 언제부터 산 거야?"

"구매 자체는 예전부터 조금씩 했어요. 본격적으로 사들이기 시작한 건 재연 씨가 전에 1조 3천억 원치를 판매했을 때죠."

"그걸 너희가 받아간 거였냐……."

사실 좀 이상하긴 했다. 그때 난 내 물량을 시세보다 10만 원 이상 높게 올렸는데 그게 너무 단시간에, 그것도 한 방에 매도되었던 것이다.

"이후에는 주로 블록딜로 거래했어요. 대주주 중에 이런저런 연이 있던 이들도 있고, 드래고니안이랑 연관된 사업을 하던 사람도 있어서."

블록딜(Block Deal).

시간 외 대량 매매를 뜻한다. 지분을 쪼개 파는 대신

한꺼번에 넘기는 거래 행위로 주식이 장에 풀리지 않기에 주가에 영향을 주지 않는다.

"스케줄 다니는 와중에 계속 매수자를 만났어! 솔직히 그냥 돈으로 주는 게 낫지 않을까 했는데 이게 웬걸! 주식이 미친 듯이 오르더라고!"

"재연 씨가 팔았을 때보다도 거의 3배 가깝게 올랐을 정도니까요."

"……하하."

기막힌 말에 절로 웃음이 나온다.

무슨 잡주도 아니고 2천만 원짜리 우량주인 네메시스의 주식이 단시간에 3배가 오르다니.

"아, 증여세도 이미 해결했어. 우리가 외계 세력이라 그런지 빼는 건 몰라도 넣는 거에는 크게 제약이 없더라고."

"그대로 가지시면 돼요."

"아……."

나는 고개를 숙여 다시 주식증서를 확인했다. 그리고 고개를 들어 오룡이를 보았다.

그리고 말한다.

"로그인."

아르데니아로 넘어가 생각한다.

'올마스터 업데이트에 필요한 주식이 25%였지.'

돈으로 치면 120조이고 그 미쳐 버린 수치를 확인했기에 나는 거침없이 주식을 던져 버렸다. 아무리 내가 초월자라 해도 범죄를 저지르지 않는 이상 단시간 동안 120조를 모으는 건 불가능하다고 판단했기 때문이다.

확실히, 초월자인 내 수입이 보통 사람과 비교할 바가 안 되는 건 틀림없는 사실이다.

열심히 일하면 100억쯤도 벌 만했다. 미친 듯 일하면 1,000억도 벌 수 있을 것이다.

그러나 조 단위는 다르다.

만 원짜리 식사를 대접한다면 1억 명을 대접할 수 있고 연봉 1억의 고소득자가 번 돈 전부를 고조선 때부터 저축해도 절반도 채울 수 없는 규모.

쉽게 조 단위를 말하지만…… 이 정도 단위의 돈은 그냥 일을 해서 벌 수 없다.

'솔직히 내가 1조를 모았던 것도 주식이 올라서지.'

과금을 한 돈을 치면 더 되지 않겠냐고 생각할 수도 있겠지만 그렇게 치면 세금은 어떤가? 만약 과금을 안 했으면 과금액 이상으로 세금을 내야 했을 것이다.

내 소득은 최고 수준인 데다 투자금도 필요 없는 직업이기에 심하면 절반 가까이 뜯길 수 있다.

소유율 : 15.3%.

활용 가능 : 5,715,001.

다시 한번 소유율을 확인한다. 25%에서 한참 모자란 수치.

그러나 소유율은 단지 비율일 뿐이다. 모든 게 소유율로 정해진다면 소유율 100%인 멀린은 마음대로 업데이트를 진행했겠지.

'퍼센트는 25%였지만…… 그 포인트는 345만이었어.'

그리고 현재 수치는 571만 포인트다. 아무래도 대규모 업데이트를 한 리벤지가 우주로 진출하면서 흥행력 자체가 대폭 늘어난 모양이다.

즉.

"올 마스터."

지금 당장이라도 가능하다.

"업데이트."

뚝.

순간 세상이 어두워졌다.

'……?'

입을 벌려 보았지만 목소리가 들리지 않는다.

집무실에 있던 나는 어느새 아무것도 없는 어둠 속에 홀로 서 있었다.

퉁!

묵직한 소리와 함께 내 머리 위로 빛이 떨어졌다.

'……스포트라이트?'

의아해하는 내 눈에 어둠 속에 묻혀 있는 사람들이 보인다.

'저건 플라워군. 에드워드에 하모니. 스틸스톤, 헌드레드까지…….'

약 100여 미터의 거리에서 당황한 표정으로 두리번거리고 있는 것은 신화급 클래스를 보유한 내 측근들이었다. 고개를 휙 돌려보니 내 뒤편까지 둥글게 둘러싸고 있다.

그뿐이 아니다.

'그 뒤로는 전설급.'

로즈리안, 지성, 런닝맨, 붉은 송곳니, 헬라임…….

당연하지만 신화급 플레이어보다 더 많은 인원. 그러나 그 뒤의 인원과는 비교조차 안 된다.

웅성웅성.

소곤소곤.

만 단위의 인물들이 잘 들리지도 않는 소리로 수군거리고 있다. 태반이 모르는 얼굴이었지만 개중에는 아는 얼굴도 있다.

'영웅급 플레이어…… 그 뒤는 희귀급, 그 뒤는 고급…….'

나는 그제야 어둠 속에 있는 사람들의 정체를 알 수 있었다.

'플레이어.'

그것도 아르데니아에 존재하는 모든 플레이어다. 수백만이 넘는 플레이어들 한가운데에서 나 홀로 스포트라이트를 받고 있다.

푹.

그때 하늘에서 기다란 장검 하나가 떨어져 박힌다. 들여다 보니 넓은 검신을 가진 그레이트 소드다.

그게 시작이었다.

푹! 푹! 푹! 푹! 푹! 푹! 푹! 푹!

단검, 장검, 대검, 단창, 장창, 방패, 클로, 망치.

마법서, 스태프, 오브, 완드, 석궁, 대궁, 단궁, 총, 대포…….

온갖 무기들이 내 주변으로 떨어져 박힌다.

어느새 내 주위로 수십 개가 넘는 장비들이 발 디딜 틈 하나 없이 늘어서 있는 상황.

[기나긴 투쟁. 오롯한 깨달음. 수많은 역사를 건너…….]

노래하듯 나긋나긋한 목소리가 들린다. 고개를 든 내 앞에는 백색의 드레스를 입은 여인이 서 있다.

'운명의 여신.'

카드를 뽑을 때마다 얼굴을 비춰 아르데니아의 오대신(五大神. 천신, 마신, 문명의 신, 자연의 신, 운명의 여신)중 가장 많이 얼굴을 보게 되는 존재.

[역사와 존재를 뛰어넘은 우주의 지배자가 왔노라. 신화의 존재를 뛰어넘을 궁극의 하나가 왔노라. 지배하고, 경배 받고, 모두를 이끌 신화 그 이상의 존재가 왔노라.]

평소의 장난스러운 태도는 어디에서도 볼 수 없는 표정으로.

[모두 주목하라.]

운명의 여신은 엄숙히 선언했다.

[여기에, 황제가 왔다.]

번쩍!
스포트라이트가 점점 광량을 늘리더니 삽시간에 온 세상이 빛으로 가득 찼다.
그 순간, 어느새 나는 집무실로 돌아와 있었다.

[모두 축복하십시오! 유일하고 위대한 황제가 등장했습니다!]
[모두 축복하십시오! 유일하고 위대한 황제가 등장했습니다!]
[지금 이 시각부로 24시간 동안 모든 사냥터에 경험치 1,000퍼센트 버프가 주어집니다.]
[지금 이 시각부로 24시간 동안 모든 사냥터에 드랍률 200퍼센트 버프가 주어집니다.]

시야 위쪽에 줄줄이 떠오르는 전체 공지와 별개로.
내 눈앞으로 새로운 화면이 떠오르고 있다.

★☆전직 완료☆★

검신 =〉 올 마스터

[중급 신성에 돌입합니다.]
[황제급 특성. 올 마스터(All master)가 작동합니다.]
[보너스 포인트 초기화]
[컬렉션 능력치가 컬렉션 포인트로 재조정됩니다.]

"스텟 적용 방식을 완전히 재조정하는 건가……?"
의아해하며 스텟창을 확인한다.

아이디 : 한재연
클래스 : 올 마스터(황제)
칭호 : 신규 모험가(일반)
레벨 : 92
근력 : 999 체력 : 999
생명력 : 999 민첩 : 999
마나 : 999 마나력 : 999 항마력 : 999
회복력 : 999 마나 회복력 : 999 운 : 999

"역시 이렇게 되는군."
특성, 올마스터의 효과다. 소유하고 있는 모든 직업의 패시브 스킬이 동시에 작동하는 것!
직업 패시브 스킬 중에는 체력+50, 민첩+50 같은 식으로 작동하는 능력들이 많은데 그것들이 모두 더해지니 이런 미친 스텟이 나오는 것!

심지어 특이 클래스(운명의 사제, 별의 도박사, 치명적 투사 등)의 패시브 스킬로 인해 성장이 불가능하다고 알려진 행운조차 한계 스텟에 도달해 있다.

'다만 직업 패시브 만으로는 1,000스텟에 도달할 수 없는 모양이군.'

하기야 리벤지에 클래스가 몇 개고 직업 스킬은 또 몇 개던가? 패시브 스킬로 올라가는 스텟에 제한이 없다면 보너스 포인트에 의미가 없어 질 것이다. 올 1,099스텟도 가능할 테니까.

'아마 다른 식으로 1,000스텟을 찍을 수 있겠지.'

올 999스텟이라고 1,000스텟을 못 찍을 리는 없다.

권능 스텟은 황제 클래스의 상징.

[황제] 특성의 존재는 한계 스텟(999)을 해제해 권능 스텟(1,000)에 들어서게 하는 데 의의가 있다.

보너스 포인트 : 720 포인트

컬렉션 포인트 : 1,412 포인트

스텟창 아래 있는 포인트

'수치는 이렇게 되는군…….'

1포인트당 1스텟이면 스텟이 남아돌겠지만 당연히 그렇게 되지는 않을 것이다. 내 스텟 포인트와 컬렉션 포인트는 리벤지 플레이어 중 최고 수준이지만, 올 마스터를 얻을 정도의 플레이어라면 당연히 이 정도의 스텟은 찍기 마련이기 때문이다.

"……힘."

나는 힘에 1포인트를 찍었다.

[한계 스텟입니다!]

[권능(權能), 거신의 완력을 획득하시겠습니까?]

[1,000포인트가 필요합니다.]

"개방에 엄청난 포인트가 필요하다…… 1,000스텟을 여러 개 찍게 하지는 않겠다는 말이네."

권능 스텟을 개방하는 데에 내가 가진 포인트의 절반이 필요하다. 하기야 권능 스텟을 찍어야 하는 데 권능의 존재는 필수적이리라.

나는 리벤지에서 봤던 공지를 떠올렸다.

-황제 클래스에서도 스텟 초기화 포션은 여전히 사용 가능합니다.

굳이 공지에 그런 이야기가 쓰여 있던 걸 보면 스텟을 되돌리는 게 불가능하지는 않으리라.

"획득."

[권능(權能), 거신의 완력을 획득합니다!]

[근력이 권능 스텟에 도달합니다!]

텍스트가 떠오르는 순간.

쩍.

내 몸을 중심으로 균열이 발생한다. 어깨와 등 뒤, 허리와 엉덩이, 팔과 다리 주변의 [공간]이 무언가가 잡아 뜯기라도 한 듯 일그러진 것이다.

내가 딛고 있는 바닥 역시 마찬가지였다.

[경보-! 경보-! 길드 타워가 공격받고 있습니다!]

[길드 타워가 손상되었습니다!]

후웅!

시끄러운 경보에 공간을 딛고 길드 타워 밖으로 뛰쳐나온다.

꾸드드득!

육체가 뒤틀린다. 근육이 크게 부풀어 올랐다 가라앉기를 반복한다.

그리고 그것은 내 육신만의 문제가 아니었다.

쩌적! 쩌저적!

콰득!

내 몸을 중심으로 차원이 일그러진다.

과도하게 집중된 힘이, 너무나도 거대한 [근력]이 차원을 억압하고 있다.

"와, 이게 무슨……."

허공에 서서 전신으로 느껴지는 어마어마한 힘에 전율한다.

지금 이 순간, 나는 나의 [근력]이 시간과 공간에 간섭할 수 있음을 알았다.

[권능 스텟 개방, 근력]

[대상 : 한재연]

전체 공지가 뜨는 순간 고개를 든다.

쩍.

등 뒤 차원이 일그러진다. 이제는 허리를 숙이거나 다리를 웅크릴 필요조차 없다. 이제 나의 [근력]은 그런 과정조차 필요가 없을 [신성]의 영역에 들어섰기 때문이다.

마치 번개가 치듯 내 등 뒤로 차원이 찌그러진다. 뻗어나간 차원의 균열이 거대한 날개의 형상을 취하고-

와장창!

단 한 번에 아르데니아의 [천장]을 부수고 뛰쳐나온다.

"윽……!"

가슴에서 느껴지는 고통에 신음한다. 내 내면에 위치한 아르데니아가 손상되며 타격이 온 것이다.

"아이고, 오버했네……."

나는 내면세계에 서서 뒤를 돌아보았다.

휘오오오---!

찢어진 아르데니아의 구멍이 서서히 닫히는 모습이 보인다. 아르데니아의 손상에 차크라와 정신력에 타격이 좀 있었지만 10층의 차크라 용량은 금세 그것을 회복시켰다.

"……와."

잠시 그 모습을 보다가 나도 모르게 헛웃음을 흘린다.

"미쳤는데?"

절로 헛웃음이 나온다. 근력 스텟이 딱 1포인트 올랐다고는 믿을 수 없는 격의 차이가 느껴진다.

"로그아웃."

현실로 돌아간다.

"헤헤. 그렇게 감동이야? 하기야 우리가…… 어?"

"후후 뭐 그렇게…… 음?"

"재연 님……?"

"아니, 갑자기 무슨. 재연 씨?"

"아……."

내 앞에서 재잘대던 오룡이가 동시에 멈칫하는 모습이 보인다. 나는 그녀들을 보며 두 손을 펼쳐 보았다.

고오오오오-------!

당연한 말이지만 현실에서는 게임에서처럼 권능 스텟이 개방되었다는 메시지 따위가 떠오를 수 없다.

그러나 지금 이 순간.

나의 [근력]은 세상에 영향을 끼쳤다. 황제 클래스 이상의 관측 능력이라면 우주 반대편에서도 이 막대한 정보의 파도를 느낄 수 있을 정도.

그리고 당연하지만.

우주의 그 누구보다 내 앞에 있는 오룡이들이 그걸 가장 잘 느끼고 있으리라.

“와! 와. 와? 와아아아!?”

“아니 이게 무슨 말도 안 되는…….”

“어떻게, 단번에?”

“저만큼의 주식을 받으면 뭔가 달라질 거라고는 예상했지만…… 아니, 이게 진짜야? 이런 게 가능하다고?”

“거짓말.”

오룡이들이 어안이 벙벙한 표정으로 나를 바라본다. 나는 팔을 뻗어 그녀들을 안았다.

“앗…….”

“재연아……? 갑자기 무슨…….”

쩍!

그녀들이 당혹스러워 하거나 말거나 그대로 날아오른다. 우리는 단번에 수백 킬로미터를 날아 궁전에 내려앉았다.

나는 오룡이들 전부를 든 채로 성큼성큼 성 안으로 걸어 들어갔다.

“저기, 재연아? 재연아? 재연 씨?”

“무, 무섭게 왜 그러나. 무슨 말이라도 해라.”

“재연 님 왜 그러시죠? 무슨 문제라도…….”

오룡이들이 당황해 버둥거리거나 말거나 침실로 들어

간다. 나는 들고 있던 그녀들을 작은 축구장만큼이나 거대한 침대 위에 던져 버렸다.

"꺄-!?"

"꺅!"

"엑, 어? 어엉? 이거, 이거?"

오룡이들이 당혹스러운 말투로 신음한다. 영문을 모르겠다는 큰 눈으로 나를 바라보고 있다.

그러나 그런 그녀의 표정과 별개로…… 그녀들의 호흡은 거칠어지고 얼굴이 발갛게 상기되어 있다.

퍼엉!

단지 근육을 부풀리는 것만으로 입고 있던 옷이 전부 터져 나간다. 오룡이들이 황급히 두 손을 들어 얼굴을 가렸지만, 그거로는 그녀들의 새빨개진 얼굴도, 초롱초롱한 눈동자도 가리지 못했다.

"너네."

그리고 그런 그녀들을 보며 으르렁거리듯 말한다.

"오늘 다 죽었어."

오늘 이 자리에서…… 드래곤 슬레이어가 탄생할 것이다.

* * *

34지구의 최대의 지성종은 두말할 것도 없이 인간종이지만 그렇다고 인간이 전부인 것은 아니다.

엘프, 드워프, 거인, 용인, 오우거 등의 아인종과 프라야나, 석원, 용 등의 초월종까지 다수의 지성족이 같은 사회에서 살아가고 있는 것!

다만 급진적인 일부 사회 운동가들은 34지구에 거주하는 종족이 극도로 치우쳐져 있다고 주장해 왔다. 실제로 완전히 틀린 말도 아닌 것이, 34지구의 이종족에는 오크, 고블린, 트롤 등은 물론이고 인간과 비슷한 외모를 가진 수인족조차 드물다.

이는 우주를 누비던 1세대 우주 용병, 속칭 [어르신]들이 이종족에 대한 이질감을 품고 있어 엘프 등 아름다운 외양의 종족을 제외하고는 구출하는 경우가 드물었고, 34지구의 인구가 충분해진 이후에는 입국 기준이 말도 못할 정도로 높아졌기 때문이다.

첫째로 상당한 수준의 지능과 노력이 뒷받침되지 않으면 합격하기 어려운 필기시험이고.

둘째로 진실신과의 10분 문답이며.

셋째로 숙련자 이상의 영능이나 그 이상으로 갈 수 있는 재능까지.

하나같이 까다롭기 짝이 없는 기준이었지만 그럼에도 지원자는 차고 넘친다.

적어도 이 입국 기준에는 [재산]이라는 항목이 없었으며, 조건을 충족하지 않으면 억만금을 준다 해도 뒷문을 열어 주지 않기 때문이다.

오직 스스로의 능력과 재능만 있으면 누구라도 기회를

잡을 수 있는 꿈의 행성!

그러나 그 모든 과정을 거쳐 34지구에 들어온 젤리아는 감당할 수 없는 현실에 눈앞이 깜깜해짐을 느꼈다.

콰과광!

쿠구구---!

"이건 꿈이야……."

페어리족인 그녀는 34지구에 입국해 자신의 동족들과 [집요정 컴퍼니]를 만들어 자리를 잡는 데 성공했다.

희귀 촉매인 페어리 더스트를 노린 마법사들이나 노예 사냥꾼들에게 고통 받던 과거와 비교할 수 없을 정도로 안전하고 행복한 삶을 구가할 수 있게 된 것!

그러나 그런 그녀의 꿈과 희망의 결정체라 할 수 있는 [요정궁전]이 그녀의 눈앞에서 파괴되고 있다.

"경찰! 경찰 불러! 이게, 이게 뭐야!? 우리 궁전을 다 부수고 있잖아!"

"진정해요 언니! 전세 낸 손님이 드래곤이라고요!"

"아니, 드래곤이면 다야!? 당장 경찰하고 정의신의 사제를 부를 거야!"

"안 돼요! 법은 멀고 주먹은 가까운 것도 몰라요? 초월자들의 전투에 함부로 끼게 되면 목숨 보전하기 힘들다고요!"

쿠콰콰쾅!

"저기 저 폭음을 들어 봐요! 일격이면 우리는 쥐도 새도 모르게 비명횡사라니까요?"

"아무리 그래도 여기는 34지구야! 내가 당장……!"

젤리아가 자신을 말리는 집요정 컴퍼니의 페어리들 앞에서 노발대발할 때였다.

웅!

바닥의 그림자가 몸을 일으키더니 이내 기다란 흑발을 늘어트린 장신의 미남자로 변한다. 노발대발하던 젤리아가 깜짝 놀라 몸을 웅크린다.

"쉐도우 드래곤!?"

"……한 번에 잘도 알아보는군. 고향에 드래곤들이 많았던 모양이야."

착 가라앉은 목소리로 어둑서니가 말했다. 노발대발하던 젤리아였지만 그 초월적인 존재 앞에서는 단숨에 분노 조절을 잘하게 되었다.

"위, 위대한 그림자의 일족이시여. 제가 조금 흥분해서……."

"경찰에 연락할 필요는 없다. 그저 접근을 통제시키고, 혹 안에서 요청이 있다면 그에 따라 움직여라."

어둑서니는 그렇게 말하며 품에서 수표 한 장을 꺼내 사인하며 건네줬다. 젤리아는 그의 가라앉은 분위기에 공포를 느끼면서도 항의할 수밖에 없었다.

"마, 말도 안 됩니다! 저희 요정궁전을 고작 돈으로…… 오오옷?"

항의하던 젤리아의 목소리가 높아진다. 수표에 적힌 숫자를 보는 그녀의 눈동자가 크게 흔들린다.

"왕 언니? 무슨 일이에요?"

"대표님? 대체 얼마이기에……."

"언니?"

당황하는 페어리들 사이에서 멍하니 날고 있던 젤리아의 표정이 활짝 펴진다.

"저희 집요정 컴퍼니는 언제나 고객의 행복을 위해 최선을 다합니다! 오~ 호호호! 절대의 서비스 앞에서 요정궁전도 어쩔 수 없죠!"

"……그래."

"그럼! 불편하지 않게 보조하겠습니다!"

깍듯한 태도로 사라지는 페어리들을 뒤로한 채 어둑서니가 요정궁전을 돌아보았다.

쿠궁.

콰과광!

요정궁전의 주변에는 일종의 결계가 쳐져 있었지만, 아무리 그래도 이렇게까지 접근한 초월자의 감각을 차단할 수 있을 정도는 아니다.

"결국 이렇게 되나…… 당연히 원로원에 소식이 들어가겠지?"

몰려오는 두통에 어둑서니는 그만 이마를 짚고 말았다. 벌써부터 앞에 일어질 일들이 그린 듯 눈에 훤하다. 어둑서니는 용종 중에서도 왕족이라고까지 불리는 쉐도우 드래곤이지만, 그로서도 그걸 막는 것은 불가능하다.

'아니, 오히려 내가 안 막았다고 질책이나 당하겠지.'

깊이 한숨 쉬고 있을 때였다.

[크아아아앙------!]

결계마저 뚫고 엄청난 포효가 울려 퍼진다. 다른 종족이라면 그 엄청난 기세에 덜덜 떨겠지만.

용족인 어둑서니는 그만 얼굴을 붉히고 말았다.

"아, 제길 몰라."

온몸에 그림자를 뒤덮으며 어둑서니가 한탄을 내뱉는다.

"뒤지든지, 말든지."

* * *

첫날에 온갖 마법으로 떡칠되어 있던 침대가 박살났다.

둘째 날에는 책상과 테이블, 소파가 작살나고.

셋째 날부터는 침실을 포함해 건물이 박살 나기 시작했다.

'아니…… 원래 초월자 간에 관계라는 게 이렇게 격하고 요란스러운 건가?'

그런 생각이 들었지만 오룡이들의 격한 요구에 응하다 보니 자연히 그렇게 되었다.

"플레이어 1,300명 추가로 도착했습니다!"

"던전에 들여보내! 난이도는 가급적 헬로!"

"새로운 요리사가 왔습니다!"

"지금 화덕으로 보내! 고기가 신선할 때 요리해야 한다!"

"음식들이 배달 왔습니다!"

"당장 식당으로 보내!"

와일드 보어 성이 소란스럽다. 결코 작지 않은 규모의 전설 성에 사람들이 가득한데 그들 모두 바쁘게 뛰어다니고 있으니 보는 것만으로 정신이 없을 정도.

"투입합니다!"

"그래."

내가 고개를 끄덕이자 통돼지 바비큐, 제육볶음, 장조림, 족발 등의 음식들이 바닥으로 쏟아진다.

우르르!

당연하지만 음식을 버린 것은 아니어서, 바닥에 쏟아진 음식 모두가 내 발밑으로 늘어져 있는 그림자로 빨려 들어간다.

우드득!

우적우적!

거의 100인분에 가까운 음식이 한순간에 사라진다. 나는 전신으로 전해지는 [맛]을 잠시 음미하다 눈을 떴다.

"소드맨."

"네, 폐하."

"장조림이 너무 짜."

"즉시 전달하겠습니다."

"고맙군. 그런데…… 바쁜 몸일 텐데 굳이 여기 있을 필요가 있나?"

내 물음에 이제는 흰머리가 희끗희끗한 소드맨이 웃었다.

"오랜만에 황제 폐하를 모실 기회를 양보할 수는 없지요. 어지간한 지시는 여기에서도 할 수 있으니 너무 걱정하지 마십시오."

산적 시절 부하가 되었던 소드맨은 와일드 보어 성에 위치한 훈련소의 대장이 되어 인류제국 전체로 퍼질 신병과 식량을 책임지고 있다. 한동안 얼굴을 마주할 일이 드물었는데 요새는 매일 만나는 상황이다.

"투입합니다!"

"그래."

병사의 보고에 고개를 끄덕여 주자 다시 그림자에 음식이 쏟아진다. 나는 눈을 감고 그것들을 흡수했다.

가만히 나를 지켜보던 소드맨이 묻는다.

"그나저나 괜찮으신 겁니까?"

뜬금없는 말이지만 무슨 말인지 알아듣기는 어렵지 않다.

"안 괜찮아서 이렇게 먹고 있잖아."

"하지만…… 하루에 2천 인분도 넘게 먹는데 이렇게 마르시다니."

그의 말대로 나는 하루가 다르게 마르고 있다. 어쩔 수 없는 일이었다.

'미쳤다, 진짜. 대체 몇 번이나 한 거지?'

오룡이와의 행위가 시작된 지 벌써 일주일이 지났다.

말이 좋아 일주일이지 어디까지나 현실 기준일 뿐 아르데니아에서는 무려 3년이나 되는 어마어마한 시간!

그리고 그 긴 시간 동안 나는 끊임없이 정(精)을 쏟아냈다.

생체력에 익숙해진 지금은 예전과 달리 생체인자를 조절할 수 있었지만…… 이번 행위에서 그럴 수는 없다.

오룡이 녀석들이 너무나 강렬하게 내 정을 욕망했기 때문이다.

'한 번에 근육이 20킬로 가깝게 빠지니 이거야, 원.'

내가 생체 인자를 조절하면 오룡이 녀석들이 대번에 울며불며 매달려서 완전히 자제할 수도 없다.

물론 예전이었다면 녀석들이 찡찡거려 봐야 징징대지 말라고 퇴짜를 놓으면 됐지 이렇게 무리하지는 않았겠지만.

적어도 지금은 그럴 수 없다.

감동스러운 이벤트와 선물을 받은 이상…… 그에 상응하는 보답이 있어야 한다. 업자(?)의 마인드로 생각해도 이는 당연한 일이다.

'뭐, 무엇보다…… 힘든 걸 감안하더라도 꽤 괜찮은 시간이란 말이지.'

아름답고 고고한 다섯의 절세 미녀가 애타게 매달리는 광경은 남성으로서의 충족감을 가득이 채워 주는 광경이다.

이 우주에 이런 광경을 볼 수 있는 존재가 과연 몇이나 있을까?

"투입합니다!"

"그래."

다시 음식이 쏟아지는 모습을 보며 생각한다.

'뭐, 이런 생각도 올 마스터가 되지 못했다면 하지 못했겠지. 근손실을 도저히 감당할 수 없었을 테니까.'

전설 클래스 [포식자]의 특성인 [폭식]과 신화 클래스 [쉐도우 로드]의 특성인 [그림자 지옥]을 장착하자 나는 그림자로 음식을 먹을 수 있다는 기괴한 능력을 갖추게 되었다. 작정하기만 하면 몬스터들을 그냥 그림자로 빨아들여 집어 삼키는 것조차 가능한 상황.

물론 그러지는 않는다.

그림자로 먹어도 맛이 느껴지기 때문이다.

'모처럼 황제인데 가끔 이렇게 권력을 누릴 때도 있어야지.'

아르데니아의 요리 기술은 과거와 비교도 할 수 없을 정도로 발전했고, 특히나 멧돼지 뒷다리를 다루는 수준은 거의 현실과 비빌 수준에까지 올라왔다.

멧돼지 뒷다리로 만드는 수백 개의 요리들!

돼지 잡내를 잡는 기술이 얼마나 발전했는지 멧돼지 뒷다리를 수천 개는 먹은 지금도 큰 어려움 없이 식사를 할 수 있을 정도다.

“수고했다. 오늘은 여기까지.”

“수고하셨습니다!”

“먹기만 했는데 수고는 무슨. 수고는 이제부터 해야지.”

피식 웃으며 자리에서 일어난다.

쾅!

한순간에 성벽 밖으로 이동한다. 텔레포트도 뭣도 아닌 단순한 이동.

‘이건…… 이제 근력이라고 부르기도 미안할 정도군.’

근력이 1,000포인트를 넘어 권능(權能), 거신의 완력을 획득하게 되자 근력 자체가 과거와 차원이 다르게 강해지는 건 물론이고 근력이 근육 안에 한정되지 않게 되었다.

마치 염동력처럼 근력이 외부로 투사(投射)되는 것!

끼이이익------!

차원을 잡아 늘린다. 국지적인 균열이 아니라 대규모 간섭을 시도하자 팔다리가 부들거릴 정도로 어마어마한 부하가 걸린다.

우웅!

우우우----!

영맥을 따라 차원을 늘리며 전진한다. 마치 마법 같은 광경이지만…… 이게 근력 운동이다.

“하악…… 하악…… 아이고 죽겠네.”

숨을 헐떡이며 반복한다. 음식을 먹는 것만으로는 손실된 근력을 회복할 길이 없으니 필수적인 과정이다.

"환영합니다! 황제 폐하!"

"만세 만세 만만세!"

"황제폐하! 황제폐하께서 오셨어!"

요란을 떨어 대는 제국민들에게 손을 흔들어 준 후 차원 늘리기를 계속한다.

그리고 그렇게 늘린 차원을 성의 한쪽까지 도달시키자.

[경] 17차 차원 터널 개설 [축]

성과 성이 연결된다.

"수고하셨습니다!"

"수고하셨습니다!"

"오오! 위대한 황제여!"

"만수무강하소서!"

환호성에 다시 손을 흔들어 준 후 와일드 보어로 복귀, 식사를 진행한다.

"로그아웃."

현실로 돌아가 오룡이와 광란의 시간을 보낸다. 가장 먼저 기절한 것은 가장 애타게 애정을 갈구하던 플라워였다.

"로그인."

아르데니아로 돌아가 식사를 하고 차원 터널을 만들며 근력을 단련했다.

"로그아웃."

현실로 돌아가 다시 오룡이와 광란의 시간을 보낸다. 다들 몇 번이고 기절하면서도 끊임없이 덤벼든다.

"로그인."

"로그아웃."

다시 반복이다. 외계인의 침략은 더 이상 아무런 문제가 되지 않는다. 황제 클래스, 올마스터의 효과가 너무나 사기적이라 나 홀로 대륙 전체를 커버하는 데 아무런 문제가 없었기 때문이다.

"로그인."

"로그아웃."

반복, 또다시 반복.

그리고 그렇게 14박 15일의 여행이 모두 끝났을 때.

"흐아아……."

"엄청나…… 너무 엄청나……."

"히이이……."

마침내 오룡이 전부가 완전히 졸도해 버렸다.

예약했던 식당에 가지도, 세계수를 구경하지도, 데이트를 다니지도 못한 채 14박 15일 전부를 숙소에서 보냈거늘 더없이 만족한 면면들.

그리고 나는.

[권능 스텟 개방, 체력]

[대상 : 한재연]

두 번째 권능 스텟을 획득했다.

"……뭐지?"

당황했다. 왜냐하면 나는 아르데니아에서 몇 년이나 거주하면서도 단 하나의 스텟 포인트도 사용하지 않았기 때문이다.

반사적으로 포인트 상황을 확인한다.

보너스 포인트 : 720 포인트

컬렉션 포인트 : 412 포인트

"그대로인데……."

내가 황당해하거나 말거나 텍스트가 다시 떠오른다.

[권능(權能), 영구기관(永久機關)을 획득하였습니다!]

1천의 포인트를 투자해 거신의 완력을 습득 후 권능 스텟을 획득했던 전과는 순서가 다르다. 스텟이 먼저 1,000포인트에 도달한 후 권능이 획득된 것이다.

"설마 오룡이와의 행위로 단련된 건가?"

잠시 그런 생각이 들었지만 말이 안 되는 소리다.

물론 그녀들과의 [행위]는 보통 일이 아니었다. 14박 15일 동안 벌어진 일은 그야말로 대역사(大歷史)라 말해도 부족할 정도였으니까.

나는 그녀들에게 정을 토해 낼 때마다 20킬로그램씩

빠지는 근육을 회복시키기 위해 무려 5년이라는 시간 동안 매일 수천인분씩 음식을 집어 삼켰다.

그러나 바꿔 말하면.

그게 끝이다.

'아무리 생각해도 권능을 얻을 정도의 일은 절대 아닌데.'

오히려 내가 죽어라 수련한 건 근력이다. 정을 토할 때마다 빠진 것이 살이 아닌 근육이었기 때문이다.

최소한의 정무 활동과 식사 시간을 제외한 대부분의 시간 동안 나는 피땀을 흘려 가며 근력을 단련했다. 쇠질을 하는 정도가 아니라 차원을 잡아 늘리는 미친 짓을 반복한 것이다.

그 과정이 얼마나 엄청났는지 나는 인류제국이 점령한 모든 성에 차원 터널을 연결하다 못해 바다 깊숙한 곳에 차원 터널을 뚫어 거대한 수력 발전소까지 만들었을 지경이다.

"그 와중에 오른 근력이 고작 1포인트인데……."

5년이다.

그 엄청난 시간 동안 수백 수천 킬로미터의 차원을 잡아 늘리는 와중에도 고작 1포인트밖에 안 올랐는데 그 1,000배의 수치가 이렇게 허망하게 오르다니?

"뭐, 일단 좋은 일이긴 한데……."

중얼거리며 몸 상태를 확인했다. 거신의 완력을 얻었을 때 차원이 찢어지고 난리가 났던 것과 달리 이번에는 별

다른 차이점이 느껴지지 않는다.

쿵!

"황제폐하께서 날아가신다!"

"어디? 어디어디?"

"이미 날아가셨지! 저기 저 기다란 구름이 황제폐하께서 이동하시면 생겨나는 비행운(飛行雲)이야!"

"아! 민첩을 몇을 찍어야 날아가시는 순간을 카메라에 담을 수 있을지!"

성에서 들리는 한탄을 뒤로하고 하늘을 가로지른다. 근력이 1,000포인트를 넘어선 이후로는 예전처럼 차원을 밟고 뛸 필요조차 없다.

권능의 영역에 도달한 근력이란 '근육 밖에서도 발휘되는 근력'이니, 나는 내 몸을 중심으로 10미터 안쪽을 근력이 허락하는 선에서 통제할 수 있다.

그리고 그렇게 비행하며 시스템 UI를 조작한다.

[올 마스터(All master). 기동.]

[특성 변경. 무한의 엘리멘탈(신화) -> 베리 빅 맵(신화).]

[스킬 변경. 완전소화(신화) -> 주문 증식(신화).]

신화 클래스 차원 방랑자의 특성, 베리 빅 맵이 발동하며 반경 10킬로미터 안쪽의 모든 지형, 인물, 아이템, 몬스터 전부를 표시된다.

그리고 거기에서 신화 클래스 마스터 스타(Master star)의 고유 스킬, 주문 증식을 작동시킨다.

우웅---!

영웅급 클래스 룬 블레이더의 특성, 컨버터(converter)가 작동하며 대해의 내공이 마력으로 변환된다.

변환 시 10%의 에너지 손실이 있는 상태에서 끊임없이 [증식]하는 베리 빅 맵이 무지막지한 마력을 소모했지만…… 이 정도로는 대해의 수위를 1미터도 낮출 수 없다.

팟!

눈앞으로, 머릿속으로 아르데니아의 전체 지도가 떠오른다. 초월적인 인지력은 전해지는 정보를 더욱 구체화시킨다.

[경고. 경고. 29등급 사이오닉이 감지되었습니다. 황제가 나타났습니다. 다시 한번 경고합니다. 29등급 사이오닉이 감지되었습니다. 황제가 나타났습니다.]

[비상! 비상! 현재 위치가 감지되었다! 즉시 긴급 프로토콜을 작동해!]

-키에엑! 괴물! 괴물이 우릴 봤다!

-이 괴물! 끔찍한 괴물이 우리를 보고 있어!

[시선, 시선이! 형제여! 당장 이곳을 벗어나야 하오!]

[이런 허무맹랑한…….]

[크에엑! 고오오— 그어어어!]

[크어어--!]

아르데니아로 쳐들어온 네 종족의 비명 소리가 들린다. 어이가 없어 헛웃음 짓는다.

"아, 이것들이 그 짧은 사이에 확장을 몇 개를 만든 거야?"

어떤 기술인지 몰라도 초월의 감각에도 걸리지 않는 은폐 능력을 갖추고 있지만 일단 이렇게 감지되면 다 소용없는 일이다.

펑!

그대로 가속해 가장 가까운 위치에 추락한다.

퐁!

운석처럼 떨어졌지만 운석처럼 대지가 파괴되지는 않는다. 내가 내 대륙을 파괴할 리가 있겠는가?

나는 대지의 속성력으로 연못에 떨어진 돌멩이처럼 삽시간에 30미터 지하로 잠수했다.

우르릉!

단 일격에 땅 속에 숨어 있던 벙커의 모든 생명체를 압살하고 차원을 잡는다.

찌이익!

차원 통로를 지상까지 뚫고 올라온다. 대충 뜯어냈기에 일주일이면 원 상태로 돌아가겠지만 그 전에 병사들이 와서 물품들을 챙겨 갈 것이다.

-크악! 괴물!

"아니 이 괴물 새끼들이 맨날 나 보고 괴물이래."

[초월자여! 아버지께서 절대 너를 용서하지 않을……!]

"그러니까 용서하지 말고 좀 오라고."

[컥-!]

약 10여 분의 순회 끝에 대륙에 뿌리박았던 외계종 놈들을 처리한 난 천원의 길드 타워 옥상에 내려서 몸 상태를 살폈다.

"체력이…… 늘었나? 아니면 회복이 빠른가?"

나름 전력을 다해 움직였음에도 별로 지치지 않은 건 사실이지만 그렇다고 아예 소모가 없는 것은 아니다.

체력이 좀 늘어난 느낌이긴 하지만 권능씩이나 되는데 겨우 이 정도 변화라는 건.

"헛!"

그러나 이내 지금까지와 큰 차이점을 눈치챌 수 있었다.

"배가 안 고프잖아!?"

그 후 몇 가지 실험을 거쳐 나는 내 육신이 일종의 항상성(恒常性)을 가지게 되었다는 사실을 알게 되었다. 음식을 먹으면 당연히 좋지만 먹지 않더라도 아무 문제없는, 그야말로 물리학의 파괴자가 된 것!

다만 문제가 있다면.

"아니…… 별 필요 없는 능력이잖아?"

물론 이 권능, 영구기관(永久機關)은 실로 사기적인 능력이다. 그냥 사기적인 정도가 아니라 생체력 수련자라면 누구라도 꿈꾸는 궁극의 힘이라 할 수 있겠지.

그것도 그럴 것이 생체력은 그 시작부터가 보급과 떼려야 뗄 수가 없는 영능이다. 제대로 된 보급이 없으면 생체력 수련자는 한 단계는커녕 두세 단계 하위의 능력자보다도 못한 존재가 되기 때문이다.

농담이 아니라 상황이 꼬이면 초월자 중에서도 아사자가 나올 수 있는 게 바로 생체력!

그러나 나는 상황이 다르다.

"나는…… 그냥 아르데니아에서 먹으면 되는데……."

던전에서 음식이 쏟아지는 내게는 생체력의 페널티가 없는 거나 다름없다. 그게 아니었으면 오룡이와의 14박 15일을 어찌 견딜 수 있었겠는가?

[스텟 초기화 포션을 사용하였습니다!]

[사용한 모든 스텟 포인트가 복구됩니다!]

"윽."

몸 밖으로 뻗쳐 있던 [힘]이 회수되는 감각에 신음하며 스텟을 확인한다.

그리고 실망한다.

체력 : 1,000.

"아…… 역시 이런 꼼수는 안 되나……."

혹시나 스텟 포인트 1,000으로 돌려받아서 다른 스텟에 넣을 수 있지 않을까 했는데 역시나 어림없는 소리.

나는 다시 근력을 찍었다. 다행히 수련으로 올린 1포인트도 원래대로 돌아와서 근력은 1,001포인트가 되었다.

남은 포인트는 1,132포인트.

나는 근력을 올려다보았다. 근력이 1,002포인트가 되면서 포인트는 2가 소모되었다.

다시 한번 올리자 근력은 1,003포인트가 되고 포인트는 3포인트가 소모된다. 하나 더 찍어 보니 이번에는 4포인트.

"소모 스텟 포인트 점진적 증가는 역시 이런 식으로 적용되네."

필요 포인트는 1부터 100이니, 1,100포인트를 찍으려면 5,050포인트가 필요하다. 지금 가진 모든 포인트를 다 쏟아부어도 한계치까지 올릴 수는 없다는 말.

때문에 나는 근력을 1,016까지만 올리고 1,013포인트는 비상시를 위해 남겼다. 지금의 내 스텟을 감지할 수 있는 이가 한둘이 아닐 테니 비장의 수단으로 남겨 두고 싶었다.

'죽을 거 같으면 생명력에 뭔가 이상하다 싶으면 민첩에 넣자. 아, 행운에 넣을 수 있었으면 당장 넣었을 텐데.'

안타까움에 한숨 쉬었지만 여전히 행운은 포인트 투자가 불가능한 스텟. 999포인트만 해도 드랍률이 미쳐 날

뛰니 이 정도에서 만족해야 할 듯싶다.

꾸욱.

마지막 테스트로 허공을 [쥐어] 본다. 올라간 근력 포인트 덕인지 내가 발휘할 수 있는 근력의 수준이 높아짐은 물론이고 근력이 통제할 수 있는 [영역]이 10미터에서 40미터까지 확장되었다는 사실을 알 수 있었다.

"이 정도면…… 드래고니안이 전면전을 선포하지 않은 이상 큰 문제는 없겠다."

물론 황제 클래스가 올 수도 있다. 드래고니안은 대우주에서 두 번째로 황제 클래스를 많이 보유한 집단이 아니던가?

그러나 지금의 난 상대가 황제 클래스라 하더라도 적어도 도주는 가능하다는 확신이 든다.

올마스터의 [사기 콤보]가 가지는 바리에이션은 그만큼이나 다양하다.

"로그아웃."

현실로 돌아온다. 정확히 말하자면 유람선 [천국의 배]로 돌아온 것.

다만 올 때와 달리 선상에는 나 혼자뿐이다. 여행 내내 내 곁에 착 달라붙어 있던 오룡이들이 각자의 방에 혼절해 있는 상황이었기 때문이다.

몇 번 깨워 봤는데 잠에 취해 헛소리나 하고 있기에 그냥 내버려 두었다.

"어디 보자."

인터넷에 접속한다. 짐작한대로, 34지구의 연예계는 난리가 나 있었다.

[황제 한재연 F·D와 함께 14박 15일의 호캉스?]

[황제♡F·D 열애설이 현실로?]

[크리스마스이브에 머큐리 센터에서 벌어진 대규모 이벤트란?]

[한재연의 상대는 과연?]

[다섯 명 전부라는 루머의 근거는?]

[우주 최강 미남 성재 曰 '너무 부럽다. 오체 분시되었으면 좋겠다.']

"역시 다 퍼졌군……."

한숨이 절로 나왔지만 사실 당연한 일이다. 오룡이 녀석들이 크리스마스이브에 준비한 대규모 이벤트에 참여한 사람이 몇이었던가? 그 많은 사람이 그 화려한 이벤트를 목격했는데 비밀이 지켜지려야 지켜질 수가 없다.

물론 그 정도로는 나와 오룡이들이 관계를 맺은 사실까지는 알 수 없겠지만.

'숙소에서 14박 15일을 있었으니 굳이 말을 안 해도 다들 짐작하는 상황이 있겠지.'

그렇게 생각하고 있을 때였다.

우웅——!

느닷없이 주변 배경이 변한다. 천국의 배의 선상에 서

있던 나는 어느새 거대한 콜로세움 한가운데에 있었다.

"……뭐?"

너무나 갑작스러운 이동에 깜짝 놀란다.

'만물 저항 능력을 가진 나를 강제 텔레포트시킨다고?'

영능학의 관점에서 그야말로 말도 안 되는 일.

그러나 가만히 생각해 보니 나는 이미 이런 일을 한 번 겪어 본 적이 있다.

"……시녀장님?"

"장로님은 너 따위가 함부로 만날 수 있는 분이 아니시다, 하위종."

살기를 꾹꾹 눌러 담은 목소리와 함께 내 눈앞에 금발의 미남이 모습을 드러낸다.

오룡이를 모신다는 시녀장을 만나러 갈 때 나를 안내했던 웜급 드래곤. 체르네인이었다.

"흠. 지금 나를 납치한 건가?"

녀석을 바라본다.

가죽처럼 보이지만 또 금속의 광택을 품고 있는 상하의, 정체를 알 수 없는 짐승의 뼈를 아름답게 깎아 낸 팔찌.

열 손가락 모두에 자리하고 있는 각기 다른 색의 보석 반지, 주먹만 한 보석이 달린 목걸이, 묵직해 보이는 귀걸이, 보석으로 풍경화가 그려져 있는 신발.

그리고 무엇보다 오른손에 들려 있는 기다란 지팡이는 녀석이 완벽한 전투 태세라는 것을 보여 준다.

"나를 납치한 건가? 납치한 건가라고? 하하! 하하하하!"

크게 웃던 체르네인이 별안간 뚝 웃음을 그친다.

"역겨운 열등종, 상황 파악이 안 되는군."

"아, 좀 그렇지 않나."

으르렁거리는 체르네인의 모습에 고개를 절레절레 흔들자 녀석의 눈이 가늘어진다.

"……무슨 말을 하는 거지?"

"아무래도 그렇잖아. 열등종이라니."

피식 웃으며 말을 잇는다.

"그렇게 열등감에 쩔어 있는 얼굴로."

chapter3.

용황(龍皇), 칸

chapter3.
용황(龍皇), 칸

“……”

체르네인의 얼굴에서 웃음기가 싹 사라진다. 싸늘한 눈으로 나를 응시하는 녀석의 전신에서 가시화된 마력이 불처럼 타오른다.

압박감은 전혀 없다.

녀석의 마력은 실로 초월적이지만, 그래 봐야 한계 스텟에도 도달하지 못한 수준. 이 정도의 마력으로 나에게 압박을 가하는 건 불가능한 일이겠지.

‘하지만 방심은 금물이다.’

능력치는 중요하지만 그것이 전투의 전부는 절대 아니다. 실제로 체르네인은 완숙한 수준의 초월자이며 녀석의 장비는 엔간한 행성 몇 개는 팔아도 살 수 없는 초월병기가 아니던가?

콰릉!

실제로 내 몸을 후려친 벼락을 미처 감지하지도 못했다. 주문이 발동하기 전까지 최소한의 전조조차 없는 세련된 마력 운용!

그러나 내겐 전투 예지가 있었고.

천문의 영역에 도달한 뇌전의 차크라가 있었다.

콰악!

벼락을 그대로 뚫고 나가 체르네인의 머리를 내려친다. 말 그대로 빛살 같은 검격!

쩍!

놀랍게도 강기를 둘둘 두르고 있는 히페리온이 오망성의 결계에 막혀 멈춘다.

'오?'

내심 깜짝 놀랐다. 한순간 전력을 다했는데도 너무나 쉽게 막혔기 때문이다.

일격에 도시 규모의 지진을 일으키고 차원을 잡아 찢는 1,016포인트의 근력에 무진장의 내공을 쏟아부은 검강을 둘렀는데 이렇게 막아 내다니?

그러나 체르네인도 기겁한 표정이다.

"무슨, 영원의 낙원이 한 번에……?"

"한 번 말고 두 번!"

쩌적!

다시 한번 내려친다. 결계는 또다시 버텨 냈지만, 망치에 얻어맞은 방탄유리처럼 잔뜩 균열이 생겼다.

설명만 길었지 이 모든 게 찰나간에 벌어진 일이었지만 체르네인의 눈동자는 나를 똑바로 응시하고 있다. 마법의 힘으로 고유 시간을 제어하고 있는 모양이다.

콰르릉!

다시 네다섯 발의 벼락이 날아와 내 몸을 후려친다. 체르네인의 얼굴이 험악해진다.

"말도 안 돼! 정령왕급 속성력이라고?"

"너도 말이 안 된다. 아무리 대마법사라도 그렇지."

지금의 난, 속성 마법에 면역이다 못해 타인이 쓴 마법이라도 어느 정도 통제가 가능하다. 실제로 지금 내 몸을 후려친 번개도 흡수를 하거나 반사시킬 생각이었는데 그러지 못하고 얻어맞은 상황.

'타격이 없는 걸로 만족하지.'

콰창!

이어지는 검격에 마침내 결계가 부서지고, 나는 단숨에 파고들어 체르네인의 목을 쳤다.

촤아악!

하늘로 솟구치는 피분수! 그러나 그 순간 오랜만에 전투 예지가 작동하고-

'뭐?'

나는 두 팔을 십자가로 겹친 뒤 몸을 둥글게 웅크렸다. 회피는 불가능하다.

한순간 보인 [미래]가 수십 개나 되었기 때문으로, 나는 괜한 움직임으로 치명상을 감수하는 대신 제자리에서

버티기를 선택했다.

퍼버벅!

마치 투명한 수정처럼 보이는 8개의 칼날이 초월의 육신을 파고 들어온다. 내 육신의 내구력을 생각해 보면 실로 끔찍한 예기!

그러나 100미터 정도 뒤에서 나타난 체르네인의 얼굴은 믿기지 않는 뭔가를 본 듯 창백하다.

"용황검에 버티는 육신이라고?"

그의 말대로 수정 칼날은 내 피부와 근육을 끊어 냈지만 결국 뼈를 끊어 내지 못했다. 내 몸을 꿰뚫은 뒤에도 사납게 꿈틀거리고 있지만 힘을 잃은 뒤로는 근육에 잡혀 빠져나오지 못한다.

"보기보다 재주가 많네."

"네놈, 빈정거리는 거냐!"

체르네인이 분노했지만 나름 진심이었다. 특히나 내 전투 예지를 어그러트리는 공격은 난생처음이다.

"후."

나와 거리를 벌린 체르네인이 분노한 표정으로 마력을 끌어올리는 모습을 보며 가볍게 심호흡한다. 몸에 박혀 있는 8개의 검은 조금의 부담도 되지 못한다.

웅-

단전 속의 대해가 격랑을 일으킨다.

황제 클래스 올마스터의 가장 큰 무기는 물론 클래스 특성&스킬 자유 변경권이지만……. '모든' 패시브, 액티

브 스킬 습득&사용 가능 효과도 그에 버금가게 강렬한 효과를 자랑한다.

올 스텟 999.

한계 스텟에 도달한 민첩은 찰나의 순간을 최대 수십 분까지 늘려 인식하는 게 가능하게 만들고, 한계 스텟에 도달한 마나는 대해의 수질(水質)을 끌어올린다.

한계 스텟에 도달한 마나력은 진기의 통제력을 극한으로 끌어올리고 한계에 도달한 운은 내 모든 행동에서 [오류]를 삭제한다.

그리고 그 결과.

대기만성(大器晩成).

극광(克光).

나는 로그인&로그아웃 없이도 대형 기술을 사용할 수 있게 되었다.

쩍! 쩍! 쩌엉!

삽시간에 생겨난 세 개의 결계가 박살 나고 그 너머로 딱딱하게 굳은 체르네인의 얼굴이 보인다.

펑!

가슴팍에 검은 구슬이 틀어박힌다. 말 그대로 세상의 이치를 벗어난 공격!

전투 예지로 읽어 냈지만 피할 수 없었다. 어떻게 피해도 명중하는 공격이었기 때문이다.

'와. 별의별 마법이 다 있군?'

어처구니없는 마법이었지만 상관없다.

그냥 맞고 버텼기 때문이다.

"……9속성 면역!?"

"아깝네. 바로 알다니."

속성 낚시로 한 사이클 돌려 볼까 했던 난 계획을 바꿔 재차 검을 들었다. 대해의 진기가 공명하고 강대한 근력이 세계를 붙잡는다.

대기만성(大器晩成).

파천극광(克光).

쩡! 콰득! 쩍! 촤악!

줄줄이 떠올랐던 결계가 모조리 파괴되고 지팡이를 들고 있던 체르네인의 오른팔이 잘려 나간다. 그마저도 간신히 빗겨 낸 것이지 녀석의 반응이 조금만 늦었어도 몸이 대각선으로 잘려 나갔을 것이다.

"네놈--!"

그러나 체르네인은 비명을 지르는 대신 분노의 고함을 질렀다.

팟!

잘려 나간 녀석의 오른팔과 들려 있던 지팡이가 허공에 고정된다.

콰콰쾅!

당장 돌진했지만 수십 개의 차원탄이 날아들어 내 주위에서 터져 나간다. 극의지체의 육신은 차원 간섭의 힘에 저항해 몸이 찢기거나 하는 일은 없었지만 공간이 왜곡되자 목적지에 제대로 도달할 수가 없다.

"비전 파괴! 멸망의 계시! 종말의 탄환!"

퉁!

주문은 분명 세 개였는데 만들어진 투사체는 하나.

빠른 수준을 넘어 [과정] 자체가 존재하지 않는 묵빛의 탄환이 내 머리를 스치고 지나간다. 나는 내심 안도의 한숨을 쉬었다.

'다행이군. 아까랑 비교도 안 되는 위력인 대신에……. 이번 건 전투 예지가 먹힌다.'

한편 당연하다는 듯 피하는 내 모습에 체르네인이 으르렁거린다.

"네 이놈! 특등급 이상의 예지 능력자구나! 어찌 인간이 이렇게 많은 능력을……!"

"아~ 개인 정보 보호도 모르나? 너무 다 캐 가는군."

이 녀석 눈치가 보통 빠른 게 아니다. 등신 머저리처럼 보이고 실제로 그런 녀석이지만, 그럼에도 녀석의 마법적 역량은 진짜라는 말.

녀석은 팔 하나가 날아간 부상에도 불구하고 전혀 기죽지 않고 연속으로 마법을 사용했다.

그리고 내가 그걸 돌진해 끊으려는 순간.

퉁!

"……!?"

숙인 머리 위로 묵빛의 탄환이 스쳐 지나간다. 전투 예지로 피했지만 아니었다면 그냥 당할 수밖에 없는 구도였다.

"흥! 비전 파괴! 멸망의 계시! 종말의 탄환!"

"이게 무슨?"

퉁!

어깨를 꺾어 피해 낸다. 그러나 그 순간.

퉁! 퉁!

"이게 뭔!?"

분명 피해 냈던 공격이 돌아온다. 어느새 묵빛의 탄환 세 개가 빛살 같은 속도로 내 주위를 맴돌고 있다.

체르네인이 광소한다.

"하하하! 미개한 열등종! 내 [호문클루스] 앞에서 짓눌려 죽어라! 비전 파괴! 멸망의 계시! 종말의 탄환!"

녀석이 묵빛의 탄환을 또다시 쏘아낸다. 나는 전투 예지로 그것을 피해 냈지만, 쏘아낸 탄환은 사라지지 않고 빛과 같은 속도로 내 주위를 맴돌았다.

그리고 그러다 빈틈이 보이는 순간, 날아드는 [과정]을 삭제하고 날아든다.

"이런."

퉁! 퉁! 퉁!

이번에는 세 발의 탄환을 피해 낸다. 돌진해 체르네인을 공격하려 들었지만 정면으로 날아드는 탄환에 방해받았다. 그것을 검으로 쳐 내려고 하자.

쩡!

묵빛의 탄환이 한순간 궤도를 틀더니 내 공격을 빗겨 맞는 것이 아닌가?

'초월병기……!'

나는 빠르게 상황을 파악했다. 체르네인은 궁극 마법 세 종을 엮어 하나의 강력한 탄환으로 만들었다. 대마법사라 해도 공격에 실패하면 반동이 생길 수밖에 없는 고코스트 주문이었다.

그런데 저 지팡이가…… 그 주문에 [생명]을 부여한다.

한 번 사용한 마법이 지성과 기동성을 가지고 죽을 때까지 사용자를 보조하는 것! 만약 내게 전투 예지가 없었다면 벌써 그 모든 공격을 다 맞고 말았을 것이다.

'와, 예전에 싸웠으면 그냥 쳐 맞다가 끝장났겠는데?'

로그인&로그아웃 능력도 크게 소용이 없다. 전투가 진행되면 진행될수록 초월병기 호문클루스의 힘으로 녀석의 주문이 계속 쌓였을 테니 고통의 시간만 길어지게 되는 것이다.

'체르네인 저 녀석을 노리든가, 초월병기를 파괴해야 한다.'

당연하지만, 그 사실을 체르네인이라고 모를 리가 없다.

[크오오오---!]

거센 포효와 함께 황금빛 드래곤이 모습을 드러낸다. 강대한 육신. 그 어떤 합금보다 튼튼한 비늘을 보유한 대우주 최강급 초월종!

나는 눈을 움직여 호문클루스를 찾았다. 그리고 두꺼운 고리의 형태로 변해 녀석의 꼬리에 감겨 있는 그것을 찾아냈다.

"뭐, 이 정도인가."

[이 정도? 이 정도는 없다! 건방진 하위종! 내가 너를 갈기갈기 찢어 위대한 용종의 이름에 먹칠한 벌레들에게 경고하겠다!]

포효하는 체르네인.

그러나 녀석의 짐작과 달리 '이 정도'라는 건 내 능력의 끝을 말하는 게 아니다.

녀석의 밑바닥을 말하는 것이지.

퉁! 퉁! 퉁! 퉁! 퉁!

호문클루스에 의해 생명을 얻은 묵빛 탄환들이 사방에서 쏟아지는 순간.

"끝내지."

[올 마스터(All master). 기동.]

[특성 변경. 베리 빅 맵(신화) -> 신검제(신화).]

[특성 변경. 군주의 위엄(신화) -> 신검합일(신화).]

[특성 변경. 운명의 주인(신화) -> 카오틱 블레이드(신화).]

[특성 변경. 컨버터(영웅) -> 신께서 이르나니, 죄 빌 곳 없으라(신화).]

[스킬 변경. 주문 증식(신화) -> 진. 일격필살(신화).]

[스킬 변경. 슈퍼 룰렛(신화) -> 파이널 크레센트(신화).]

양 눈에서 빛이 폭발한다. 머리칼의 어둠은 풍성하게 부풀어 허리까지 늘어지고 온몸에 타오르는 이펙트가 퍼져 나간다.

일대일 최강 세트가 발동된 것이다.

하나하나도 미친 능력이지만…… 모이게 되면 그야말로 말도 안 되는 사기 콤보가.

퍼버버벙!

날아들던 묵빛 탄환이 모조리 찢겨져 흩어진다.

우우웅----!

폭발하는 기세에 자신만만하게 웃던 체르네인이 멈칫한다.

[이게, 무슨……!]

당황하는 체르네인을 보며 검을 들어 올리자 녀석이 발작적으로 소리친다.

[황금의 성벽! 혼돈의 경계! 지고의 방패! 용신의 가…….]

대기만성(大器晩成).

파천극광(破天克光).

콰드드득! 퍽!

떠오르는 결계를, 차원의 왜곡을, 황금의 방패를, 투명한 막을 찢어 버린 검격이 드래곤 스케일과 드래곤 본을 쪼개고 거대한 용의 몸을 가른다.

그리고 그 종착지는, 녀석의 드래곤 하트였다.

[……컥.]

신음이 터져 나오는 순간.

파파파팡!

우우우웅----!

녀석이 죽음의 부상을 입는 순간 어디서 발동되었는지도 모를 수십 개의 마법이 녀석의 몸을 휘감고 굳힌다. 차원과 시간이 왜곡되고 황금빛 기운이 녀석의 몸을 현실과 유리시켰다.

심지어 그 안에서 체르네인의 몸이 빠르게 회복되기 시작한다!

"오, 절대 죽지는 않게 하는 수준을 넘어서 완치까지 시키겠다는 거군. 대단해. 그런데……."

어마어마한 재화와 노력이 들어간 긴급 마법들이었지만, 나는 당황해 추가타를 날리는 대신 히페리온을 인벤토리에 집어넣었다.

"심장을 맞으면 치명타 아닌가?"

그렇게 말하는 순간.

[쉐도우 트와이스.]

[결정타격.]
[확인사살.]
[파이널 쉐도우.]
[섬멸의 천사.]

쩌저적! 콰쾅! 우우웅――――!

무지막지한 추가 타격들이 회복하고 있던 체르네인의 몸을 후려친다.

'이게 반절 이상이 발동하지 않은 거란 말이지. 특히 마법 쪽은 하나도 안 켜졌어.'

명색이 드래곤이라고 이런저런 면역 능력이 있던 모양이지만 남은 것들로도 녀석의 회복을 방해하는 걸 넘어서는 타격을 주기에 부족함이 없다.

[크…… 억……?]

촤아악!

모든 긴급 주문이 박살나며 차원의 저편으로 끌려가던 체르네인이 몸이 바닥에 널브러진다. 녀석의 거대한 육신을 가로지르는 거대한 자상에서 피가 폭포수처럼 쏟아진다.

〈블러드 다이아몬드〉

전설급 클래스. 블러디 나이트의 스킬을 사용해 쏟아지는 피를 스킬 자원으로 바꿔 인벤토리에 던져 넣자 피 웅덩이에 빠져 있던 체르네인의 몸이 드러난다.

내가 그 앞으로 다가서자 체르네인의 눈이 반쯤 떠진다.

[어떻, 어떻게…….]

"뭐라고 했더라."

빈사 상태의 녀석을 보며 웃었다. 로그인&로그아웃도, 초월병기도 쓰지 않고 그 유명한 전룡단의 일원을 잡았으니 만족스럽지 않을 리가 없다.

"갈기갈기 찢어서…… 뭐라고?"

[이건, 이건 있을 수 없어 말도 안 되는…… 쿨럭……!]

체르네인의 거대한 이빨 사이로 다시 피가 쏟아지는 순간, 녀석의 거대한 육신이 쪼그라들기 시작한다.

웅!

거대한 금빛의 드래곤이 잘생긴 금발의 미남자로 변한다. 창백한 얼굴로 헐떡이는 녀석은 당장 죽어도 이상할 게 없는 상태다.

'정말 상태가 안 좋아지니 인간으로 변하네.'

이야기야 많이 들었다. 드래곤은 해츨링 때부터 드래곤형과 인간형을 오갈 수 있으며…… 두 모습 다 진짜이기 때문에 심한 부상을 입었을 때에는 유지 코스트가 적은 인간형으로 변한다고.

드래곤들이 엘프 드워프 대신 굳이 인간으로 주로 변하는 것도, 변해도 하필 자신의 비늘 색과 똑같은 색의 체모를 가지는 것도 그들이 콘셉트에 미쳐 버렸기 때문이 아니라 그게 그들의 원래 모습이기 때문이다.

나는 녀석의 앞에 서서 말했다.

"말도 안 되는 건 네 멍청한 지능이지. 수천 년은 살아온 초월종이라는 자식이 20살 애송이처럼 행동하다니……."

사실 기가 차는 일이다. 최상급 신인 게임 마스터의 사도로 알려진 나를 어디 먼 변방의 우주도 아니고 태양계 안에서 납치해 해치려 하다니? 설사 녀석이 나를 간단히 이겼다 해도 드래고니안이 져야 할 정치적 타격은 보통이 아니었으리라.

"너, 네놈, 열등종…… 네가 감히, 빛나는 우리들의 공주님들을……."

"와, 진짜 이 이유네……."

내가 지금껏 상상하던 바로 그 이유에 어이가 없어서 헛웃음이 나온다. 수백 미터는 될 법한 녀석의 본체를 생각할 때 최소 웜급은 될 텐데 이런 머저리 같은 질투를 하다니.

와락!

손을 뻗어 멱살을 잡는다. 체르네인은 저항조차 하지 못하고 끌려 왔다.

이대로 손에 힘만 줘도 죽을 상황에, 체르네인이 이상한 소리를 한다.

"허세…… 떨지 마라…… 넌 나를 죽일 수 없어."

"……?"

멈칫한다. 정곡을 찔렸기 때문이 아니라 정말로 의아했기 때문이다.

"아니 왜 그런 생각을 하지?"

"쿨럭! 크. 후. 후후……."

한 번 더 피를 토해 낸 체르네인이 창백한 얼굴로 말한다.

"네놈, 엘로힘이지? 서, 설사 충돌이 있었다 해도…… 날 죽이면 협정에 정면으로 위반이다. 나, 나는 몰라서 그랬다지만……."

"엘로힘."

우주를 지배하는 연합에는 두 개의 기둥이 존재하니, 그중 첫째가 바로 초월종들의 집합체인 노블레스이다.

그들의 근간은 바로 초월종.

용종을 필두로 한 그 특별한 종족들은 대우주의 [귀족]으로서 어마어마한 무력과 영향력을 가지고 있다.

"……엘로힘이라고? 내가?"

엘로힘(Elohim).

엘로힘은 노블레스처럼 특별한 피를 타고난 이들이 아닌 스스로 깨달은 탈각자들의 세력이다. 원시 문명에서 태어나 검의 극의를 깨달은 초월자, 끊임없는 탐구로 세계의 이치를 깨달은 마법사 모두 거기에 가입할 자격이 된다.

당연하지만 나도 그 자격이 있다. 이미 초월경에 든 상태이기에 원하기만 한다면 언제든 우화등선(羽化登仙)할 수 있기 때문이다.

"그래! 고작 30년밖에 안 산 녀석에게 이런 강함이 있을 리 없어! 네놈, 투선(鬪仙)이지? 내가 선경(仙境)의 함정에 빠지다니……."

확실히 내 성장 속도는 상식적이지 않다. 고작 30년 산 인간이 칼 한 자루 들고 초월병기로 무장한 웜급 드래곤을 때려잡는다니? 그딴 건 현실이 아니라 영화나 소설에서도 비웃음을 당할 전개.

나는 체르네인의 앞에 쪼그려 앉았다.

"흠. 내가 투선이라면 어떻게 너를 공격했을까? [사명]에 걸릴 텐데."

사실 엘로힘의 힘은 노블레스의 몇 배가 넘는다. 선계에 존재하는 초월자의 수는 그야말로 상상을 초월할 정도이며 황제 클래스도 7명이나 보유하고 있을 정도니까.

그러나…… 그럼에도 대우주에서 엘로힘의 영향력은 노블레스에 비할 바가 못 되고, 대우주의 황제 클래스를 뽑을 때에도 엘로힘의 선인들은 끼워 넣지도 않는다.

'사명 때문이지.'

[세계]와의 계약에 의해 [직위]를 부여받는 선인들은 그 힘을 행사하는 데 어마어마한 제약이 붙어 있다.

맡은 사명을 벗어나는 일이라면 심한 경우 자신의 목숨을 위협받아도 저항할 수 없을 정도!

선계에서 황제 클래스로 인정받는 이는 스스로의 깨달음으로 격을 이룬 검선(劍仙) 여동빈뿐이다.

"나를 시험하는 거냐? 당연히 자기 방어의 사명이다! 모든 사명 중 가장 코스트가 적은 사명이니 나를 도발하며 기회를 노렸겠지!"

"아, 그래?"

나는 웃으며 고개를 끄덕였다.

나름 재밌었지만 슬슬 개소리를 듣기가 귀찮아졌다.

짜악!

"꺽!?"

뺨을 치자 아름다운 얼굴이 찌그러진다. 체르네인이 휘둥그레진 눈으로 나를 바라본다.

"너, 너? 네놈."

쩍!

한결 거세게 뺨을 치자 상체를 일으켰던 체르네인이 바닥을 구른다.

"이것도 자기 방어의 사명이겠지? 쏟아지는 개소리를 듣는 내 귀를 방어해야지."

"너, 네놈, 제정신이 아니."

쩌억!

"꺽!?"

하나하나가 천금의 가치를 가진 이빨들이 바닥에 쏟아진다.

"등신이 등신인 걸 알면 등신이 아냐~ 등신이 등신인 걸 등신같이 몰라야 등신이지~"

흥얼거리며 오른손을 들자 체르네인의 얼굴이 사색으로 변했다.

"머, 머, 멈춰라! 이, 이대로라면 내가 죽고 만다!"

평소라면 어림없었을 일이다. 전룡단의 일원인 그에게는 수십 수백 개의 주문들이 걸려 있었고 스스로의 생명력과 신체 내구력 역시 상상을 초월하는 수준이기 때문이다.

그러나 갈비뼈와 심장을 한 번 절단당하고 대량의 피를 잃어버린 체르네인의 상태는 그야말로 빈사지경. 실제로 빰을 세 번 맞은 체르네인의 안색이 하얗다 못해 파래지기 시작한 상황이다.

저항할 힘조차 없는 지금 이렇게 빰을 맞다보면 드래곤이 아니라 드래곤 할아버지라도 죽을 수밖에 없겠지.

그러나 나는 웃었다.

"나를 죽이러 왔으면서…… 죽을 각오도 없었다고?"

"……!"

마침내 그 오만하던 골드 드래곤의 눈에 공포가 어린다. 이제야 진심으로 자신의 죽음을 생각했다는 뜻이리라.

'너무 늦어. 수천 년을 제멋대로 살다 보니…… 현실 감각이 떨어지는군.'

물론 녀석을 죽이는 건 내게도 부담스러운 일이다. 녀석은 그냥 드래곤도 아니고 노블레스 최고의 전투병단인 전룡단(戰龍團)의 일원이기 때문이다. 말하자면 드래고니안의 공무원이니 녀석을 죽인다는 건 용들과 완전 척을 진다는 뜻이기 때문이다.

하지만 지금 이 순간.

나는 결심했다.

'상관없다.'

체르네인은 나를 죽이러 왔고 나에게는 그를 죽일 명분이 있다. 만약 내가 속한 문명이 보통의 문명이었으면 감히 드래고니안을 대상으로 그 명분을 휘두를 수 없겠지만, 34지구는 연합조차도 함부로 대하지 못하는 강대한 문명이다.

슥.

손을 들어 올린다. 체르네인의 얼굴에 공포가 어린다.

"사, 살려 줘."

"줘?"

"사, 살려 주십시오. 제, 제가 어리석은 짓을 저질렀습니다. 저, 저를 죽이면 드래고니안과의 관계가……."

당장이라도 졸도할 정도의 몸 상태였지만 체르네인은 눈을 껌뻑거리면서도 필사적으로 의식을 유지하려 들었다.

녀석도 아는 것이다. 여기서 그냥 쓰러졌다간 영원히 다시 눈뜨지 못하리라는 사실을.

"오, 관계 중요하지. 그렇게 중요한 걸 아는 녀석이 게임 마스터와의 관계는 왜 생각하지 못했지?"

"그, 어, 어……."

"잘 가라."

오른손을 들어 올린다.

그리고 그 순간이었다.

[그만!]

강대하고 강대한 [말]의 힘이 나를 멈춰 세운다. 34지구에 살면서 진실신의 사제들이 발휘하는 언령(言靈)에 익숙한 나조차도 듣도 보도 못한 수준의 출력.

고오오오--!

차원의 문이 열리고 다섯 명의 남녀가 모습을 드러낸다.

"누님……!"

"누님이라고 부르지 마, 병신새끼야! 장로님을 잘 모시라니까 오히려 사고를 쳐!? 장로님이 궁에 유폐당하셨는데 상황을 정리하긴커녕 전함을 함부로 사용하다니!"

새까만 머리칼을 늘어트린 여인이 체르네인을 보며 역정을 터트린다. 묘하게 익숙한 인상의 그녀의 곁에는 네 명의 사내가 서 있다.

"……보통 강자가 아니군."

"저 녀석이 바로 게임 마스터의 사도인가."

"막내긴 해도 전룡단의 일원인 체르네인 님을 쓰러트리다니……."

신음하는 사내들의 말에 체르네인이 항의한다.

"아니야! 내, 내 전용 무장만 있었다면……."

그의 말에 흑발 여인의 눈썹이 위로 솟구친다.

"뭐가 어쩌고 어째? 언네임드도 연합의 대적도 아닌 특급 동맹국의 VIP를 상대로 전용 무장? 네 드래곤 하트를 걸어도 허가가 안나 병신새끼야!"

'많이 화가 났나 보네.'

풍성한 흑발 너머로 별무리가 보이는 쉐도우 드래곤은 그 아름다운 외모에도 불구하고 귀신처럼 사나운 얼굴이다. 어찌나 분노했는지 그녀의 감정에 감응해 주변 공간이 우릉거린다.

그리고 마침내.

"그리고 너! 이 건방진 인간 놈이 감히 우리 드래고니안의……."

그녀가 나를 돌아본다.

"드래고니안의……."

거기까지 말하고 멈칫한다. 그녀의 얼굴에 당혹감이 깃든다.

나는 체르네인의 목을 붙잡은 채 물었다.

"드래고니안의?"

"……."

"……."

잠시 침묵이 우리 사이를 스쳐 지나간다. 아주 잠깐의 시간이 흐르고. 치켜 올라갔던 여인의 눈썹이 내려온다.

"호호. 저 녀석 때문에 고생하셨겠네요. 혹시 다치신 건 아니죠?"

"누님……? 지금 무슨 소리를 하고 계신 겁니까?"

내 손에 목줄이 잡힌 체르네인이 믿을 수 없다는 표정을 짓는다. 당장 죽게 생겼는데 하늘에서 내려온 동아줄이 코브라 트위스트를 추는 걸 보는 표정이다.

"다 나왔다. 회복력 하나는 자신 있는 편이라."

"아! 그러고 보니 상처들이 보이네요. 죄송합니다. 제가 어찌 사과드려야 할지……."

"누님? 누님! 지금 뭐 하시는 겁."

"너."

순간 부드럽게 웃던 흑발의 여인이 체르네인을 바라보았다.

새까만 눈동자는 끝없는 공허를 들여다보듯 깊다.

"닥쳐."

"……."

무지막지한 압박에 체르네인의 입을 다문다. 가뜩이나 상태도 안 좋은데 악을 쓰고 압박까지 당하니 당장이라도 죽을 것 같다.

"호호. 한재연 씨? 저희가 많은 폐를 끼치게 되었네요. 보상 문제도 있고 잠시 이야기 좀 하실 수 있을까요? 제가 나름대로 힘이 있는 직위니 최대한 도와드릴 수 있습니다."

"……왜요?"

방금 전만 해도 흉신악살이나 다름없던 그녀의 친절한 태도에 나도 당황할 정도였다.

'왜 이러지?'

이해할 수 없는 상황이지만 적어도 나를 속여 체르네인을 탈환하려는 분위기는 아니다.

"왜라니요. 당연히 죄송해서 그렇죠. 저희가 일방적으

로 잘못한 상황이잖아요?"

"……."

말이야 바른 말이다. 잘 있던 나를 체르네인이 일방적으로 납치, 공격하려던 상황이니까. 그러나 대우주의 역학 관계가 어디 이치로만 굴러 가던가? 특히나 드래고니안의 외부 정치는 깡패라고 불러도 부족함이 없을 정도일 텐데.

그래도 내 입장에서는 나쁜 말이 아니다.

"뭐, 좋지요. 충분한 보상을 받을 수 있다면 괜히 드래고니안에 원한을 쌓을 필요는 없을 테니까요."

"호호호. 정말 정의로우세요! 잠시 둘이 차라도 마시면서 이야기를……."

그렇게 순조롭게 상황이 정리되고 있을 때였다.

웅.

"어?"

"뭐라고……?"

"이게 무슨……."

"컥!"

자리에 있던 모든 드래곤이 대경해 주변을 살핀다. 어마어마한 압박감이 장내를 덮쳤기 때문이다. 나 역시 전신의 털이 바짝 서는 감각에 체르네인을 내던지고 대해를 일깨웠다.

그리고 그 순간.

[그만.]

아까와 똑같은 용언.

그러나 이번 것은 차원이 다르다. 단순한 말에 담긴 [격]이 정신이 아찔할 정도로 아득하다.

탁.

조금의 차원 진동도 느끼지 못했거늘 어느새 그녀는 우리 한가운데에 있었다. 2.5미터의 거대한 신장. 그 큰 신장이 전혀 어색해 보이지 않는 완벽한 비율. 오색이 아름답게 어우러져 있는 기다란 장발. 마치 왕관처럼 머리 위에 나 있는 다수의 뿔.

"너무 부끄럽고…… 창피하구나."

그녀는 어느새 거기에 있었다. 그녀를 발견한 드래곤들이 대번에 바닥에 엎드린다.

"황제 폐하를 뵙습니다!"

"황제 폐하를 뵙습니다!"

"황제 폐하를 뵙습니다!"

"황제 폐하를 뵙습니다!"

"황제 폐하를 뵙습니다!"

콧대 높기로 유명한 드래곤들이라고는 믿을 수 없을 정도로 공손한 자세였지만, 그런 그들의 모습이 보이지도 않는다는 듯 여인은 내게 고개를 돌렸다.

"이렇게 뵙게 되어 유감이네요. 한재연 씨."

대우주 모든 색체룡의 원형이라고까지 불리는 초고대

의 원시룡(元始龍).
수십만 년의 세월을 살아온 드래고니안 최연장자.
황제 클래스를 넘어 그 이상의 경지를 노린다는 우주적인 강자.
다섯 개의 머리를 가진 오두룡(五頭龍), 크로매틱 드래곤(Chromatic Dragon).
"칸이라고 합니다."
'초면이라는 설정인가.'
고고한 자태의 완전체를 보며 생각을 정리한다. 칸의 행동은 사실 당연한 일이다. 나와 만나고 연을 쌓고 마침내 연인이 되기까지 한 것은 오룡이지 크로매틱 드래곤 칸이 아니었기 때문이다.
"뵙게 되어 영광입니다. 용황."
마주 서 그녀와 얼굴을 바라보자 머리를 박고 있던 드래곤들이 부들부들 떤다.
"감히……!"
"용황님 앞에서 예를 표해라!"
"게임신의 사도라 해도 너무 건방……."

[그만.]

묵직한 용언에 드래곤들이 깜짝 놀라 다시 머리를 박는다. 칸의 표정이 싸늘해진다.
"날 더 이상 부끄럽게 하지 마라."

"죄, 죄송합니다."
"죄송합니다!"
바짝 기는 드래곤들의 모습이 신기하다.
'드래고니안은 민주주의 아니었나?'
많은 하위 문명들이 자연스럽게 민주주의를 선택하지만, 제3문명에 도달해 대우주로 진출하면 대체로 그것을 버리기 마련이다.
당연히 초월자의 존재 때문이다.
집단을 이기는 개인, 문명을 초월한 객체.
초월자의 존재는 만인의 평등을 법적으로 보장하는 민주주의를 근간부터 붕괴시킨다. 34지구처럼 강제적으로 모두를 통제하는 최상급 신 같은 게 있지 않는 이상 군주정 등으로 회귀할 수밖에 없는 것이다.
반면 드래고니아는 어떤가?
평범한 종족이 아닌 초월종. 그중에서도 용종은 초월자가 기본 베이스다. 모든 구성원이 초월자인 드래고니안에서 집단을 이기는 개인이 존재하기는 매우 어렵다.
'황족, 혹은 왕족이 있다 해도 영국 등의 나라가 그렇듯 명예직일 뿐이라고 들었는데 이 정도의 반응이라니.'
아무래도 드래고니아 내에서 용황의 위상은 내 생각 이상인 모양이다.
"먼저, 폐를 끼치게 된 걸 진심으로 사과드립니다. 특히…… 체르네인의 망나니짓에 대해서는 반드시 보상해야겠지요."

"화, 황제폐하……."

안 그래도 사경을 헤매던 체르네인의 얼굴이 이제는 누렇게 뜬다. 농담이 아니라 당장 죽어도 이상할 게 없어 보인다.

"그나저나 듣던 것과 다른 모습이시군요."

황제 중에서도 특별히 강력한 힘을 가졌다고 알려진 용황은 그리 활발히 활동하는 편이 아니지만, 그렇다고 모든 활동이 베일에 싸이거나 한 것도 아니어서 기사나 뉴스만 찾아 봐도 얼마든지 인간형 모습을 찾아볼 수 있다.

그리고 그렇게 발견한 칸의 외모는 충분히 아름다웠지만 그렇다고 그게 여성적인 아름다움을 뜻하는 것은 아니었다.

'굳이 말하자면…… 남성에 가까운 중성(中性)적인 외모였지.'

그러나 지금은 어떤가?

생체력 덕분에 거인 수준의 신장을 가진 나와 마주 볼 정도지만, 그럼에도 그 어떤 누구도 그녀에게 감히 중성적인 외모라는 평을 할 수 없을 것이다.

완벽한 비율의 육감적인 몸매, 오색이 아름답게 어우러져 있는 기다란 장발, 왕관처럼 화려한 뿔까지.

내 앞에 서 있는 그녀는 누구도 부정할 수 없는 절세미녀의 모습이다.

"후후. 외모 정도야 얼마든지 통제할 수 있는 변수에 불과하죠. 이상한가요?"

"아뇨. 아름다우시네요."

내 말에 칸이 잠시 멈칫하더니 웃었다.

"다시 말씀드리지만 지금 상황에 사과드립니다. 체르네인 녀석을 죽이셔도 어쩔 수 없지만……."

"굳이 그럴 필요는 없습니다. 그리 대단한 원한 관계도 아니니까요."

좀 고까운 녀석인 건 사실이고 하는 짓도 밉상이었지만 잔뜩 쥐어 팼더니 유감은 별로 남지 않았다.

무엇보다 이제 와서 녀석을 죽이는 건 원한만 남길 뿐 얻을 게 별로 없었다.

"배려에 감사드립니다. 대신이랄 건 못 되지만……."

칸이 손을 내뻗자 바닥을 뒹굴고 있던 기다란 지팡이가 날아와 잡힌다.

칸이 말한다.

"초월병기 호문클루스입니다. 넘버링에는 들지 못하지만 제법 괜찮은 성능을 가지고 있지요."

"……이걸 준다고요?"

내가 체르네인에게서 승리한 건 사실이지만 그 전리품으로 초월병기를 강탈한다는 것은 있을 수 없는 일이다.

초월병기는 말 그대로, 우주적 전략병기(戰略兵器).

체르네인에게서 호문클루스를 강탈한다 해도 소유권은 여전히 드래고니안에 있을 테고 심지어 그걸 주장하기까지 할 것이다.

어디 그뿐인가?

호문클루스에는 체르네인의 사망과 동시에 드래고니안으로 귀환하는 강력한 주문이 걸려 있을 것이다.

'물론 바로 아르데니아로 가지고 들어가면 어찌 될지 모르지만…… 그 소유권을 그냥 넘겨주는 건 그야말로 차원이 다른 일이다.'

왜냐하면 [판매]가 가능하니까.

"저희가 끼친 폐에 대한 보상일 뿐입니다."

"하, 하지만 폐하."

"더불어 체르네인에 대한 징벌이기도 하지요."

"……."

나는 하늘이 무너지는 표정의 체르네인을 잠시 바라보다 웃었다.

"그렇다면. 감사히 받겠습니다."

우우우우----!

칸의 손에 들린 호문클루스에서 강대한 마력 파동이 일어난다. 초월병기의 소유권을 변경하는 과정.

칸은 내게 그것을 넘기더니 고개를 돌려 드래곤들을 보았다.

"체르네인을 데리고 함선으로 돌아가라."

"네, 폐하!"

얌전히 고개를 숙이는 드래곤들 사이에서 여성체 쉐도우 드래곤이 고개를 든다.

"폐하. 제가 34지구에 잠시 머물면서 재연 씨에 대한 후속조치를……."

"어둑시니."

봄날처럼 따듯하던 칸의 목소리에 냉기가 어리자 고개를 들었던 어둑시니의 얼굴이 창백해진다.

"네, 네! 폐하."

"두 번 말해야 하나?"

"아닙니다! 자! 모두 가자! 체르네인 병신도 챙기고!"

떠나가는 드래곤들을 보며 생각한다.

'어둑시니? 쉐도우 드래곤인 것도 그렇고 어둑서니 녀석하고 혈연인가…….'

"뭘 그렇게 보시나요?"

"아뇨. 별거 아닙니다. 혹시 후환이 있지 않겠습니까?"

"제 이름을 걸고 그럴 일은 절대 없을 겁니다."

자신하는 칸의 모습에 고개를 끄덕인다. 다른 드래곤들의 반응도 그렇고 용들 사이에서 인망이 대단한 모양이다.

'아니 용망(龍望)이라고 해야 하나?'

쓸데없는 생각을 하고 있을 때 칸이 말했다.

"죄송합니다."

"아뇨. 이미 충분히……."

"그게 아니라. 제가 온 용건 때문입니다."

"……?"

영문 모를 소리에 칸을 돌아본다.

'드래고니아와 나 사이의 갈등을 막으려고 온 건데 용건이 따로 있을 수 있나?'

의아해하는 나를 보며 칸이 말했다.

"제 딸들을 데려가고자 합니다."

* * *

팟!

공간이 일렁이고 재연이 천국의 배로 돌아온다. 호화스러운 유람선은 아무 일 없었다는 듯 고요하기만 하다.

"이게 무슨 상황인지……."

재연은 이해할 수 없다는 표정으로 중얼거린 후 선실로 내려가려 했다. F·D멤버들과 만나기 위함일 것이다.

그리고 그 순간.

웅!

시간이 멈췄다.

턱.

우주 한가운데에서 모습을 드러낸 크로매틱 드래곤, 칸이 선상에 내려선다.

그. 아니, 이제 분명하게 그녀가 된 칸은 정지된 시간 속에 멈춰 있는 재연의 모습을 보았다.

"……마성의 남자네, 아주."

그녀는 많이 지친 상태다. 진이 빠진 상황에도 억지로 몸을 움직여야 했기 때문이다.

어쩔 수 없는 일이었다.

'이제 확실하네. 재연이를 본 용종, 어쩌면 다른 초월종

까지…… 여성(女性)이라면 모두 내가 느꼈던 것과 비슷한 감상을 느낀다.'

물론 무슨 최면 같은 건 아니어서 완전히 정신이 나가버린다거나 하는 일은 없겠지만 치명적인 매력은 매력 그 자체만으로 위험하다.

경국지색(傾國之色)의 미인들이 정신 능력을 가져 나라를 망하게 하는 건 아니지 않는가?

"하아……."

한숨이 절로 나온다. 초월적인 경지와 육신을 가졌음에도 눈이 감길 듯 피곤하다.

이유는 뻔하다. 14박 15일 동안 이어진 행위 때문이다.

화악!

불현듯 떠오른 기억에 칸의 볼이 달아오른다. 호흡이 가빠지고 드래곤 하트가 맥동하는 듯하다.

'정말이지.'

너무나 격렬한 15일이었다. 그녀 역시 어찌나 체력이 빠졌는지 여행이 끝날 때쯤에는 완전히 혼절해 외부 상황을 파악할 수 없었을 정도다.

상태가 얼마나 심했으면 체르네인 그 멍청이가 초월기를 발동해 재연을 납치하는 것조차 몰랐겠는가?

슥.

칸은 재연에게 다가가 눈을 마주했다. 정광(晶光)이 흐르다 못해 빛이 눈 밖으로 흘러나오는 재연의 눈이 그 어떤 보석보다 황홀하다.

쪽.

그대로 고개를 내밀어 입을 맞춘다. 정지된 시간의 특성 때문에 별다른 느낌은 없었지만 그것만으로 마음이 충만하게 차오른다.

"정말이지…… 내가 이런 감정을 느끼게 될 줄이야."

그녀가 세상에 눈을 뜬 지 어느새 수십만 년이 흘렀다. 하나의 지성체가 살아가기에는 터무니없을 정도로 긴 세월. 그녀보다 긴 세월을 살아온 존재는 창조주에 의해 특별한 [역할]을 부여받은 존재나 신들 정도밖에 없을 정도다.

실로 어마어마한 시간이지만, 그럼에도 이런 [기쁨]은 상상한 적도 없다.

"후후."

지금의 그녀는 삼족오(三足烏), 흑번(黑幡)에 의해 다섯 존재로 찢어진 상태다.

합일(合一)은 언제든지 가능하지만 오래 유지할 수는 없다. 길게 유지해 봐야 몇 시간 정도에 불과할 정도.

그런데 그와 관계했을 때, 그녀는 알 수 있었다.

[최초의 한 번]에 한해서라면, 그의 정(精)을 이용해 자신의 상태를 치유할 수 있다는 것을.

'말도 안 되는 일이지…….'

대우주의 온갖 보물들로도 해낼 수 없었던 일을 그가 해낸 것인데, 사실 정말 말도 안 되는 일은, 그녀가 그것을 선택하지 않았다는 점이다.

"내 아이……."

칸은 손바닥을 자신의 배 위에 올렸다. 그녀는 자신을 치유하는 대신 그의 인자를 받아들였고, 이는 용황인 그녀가 하위종의 아이를 임신했음을 뜻한다.

평생 용족을 위해 헌신하고 자신의 태생에 어마어마한 자부심을 가지고 있던 과거의 그녀는 지금의 선택을 이해조차 하지 못할 것이다. 그냥 이해하지 못하는 정도가 아니라 혐오(嫌惡)하기까지 했겠지.

그러나 이제는 아니다.

팟!

순간 빛이 번쩍이고 칸의 몸이 다섯으로 분화한다. 이제는 칸이 아닌 우주 아이돌. 파이브 드래곤이 된 그녀들은 가볍게 서로의 시선을 맞춘 후 선실로 내려갔다.

웅!

다시 시간이 흐른다. F·D멤버들은 각자의 방에서 나와 선실로 올라왔다.

그리고 설명했다.

"미안해. 어머님의 뜻이 워낙 완고하셔서……."

"그래도 함께한 시간은 정말 행복했어."

"아! 혹시나해서 하는 말인데 영원한 이별 같은 건 절대 아니야! 조만간 돌아올 거니까!"

재연에게 상황을 설명했다. 다행히 그는 그녀의 설명을 잘 이해해 주었다.

"저기, 가기 전에 이거……."

F·D를 대표해 루비가 재연에게 반지 하나를 넘겼다.

"이건 뭐야?"

"다른 사람들의 인지를 조정할 수 있는 신기. 인지부조화(認知不調和)야. 황제 클래스 이하의 존재라면 그 누구도 꿰뚫어 보지 못하겠지."

"아, 뭐. 좋긴 한데."

"항상, 언제나. 무조건 끼고 다녀. 알았어?"

"아니, 하지만."

"알았다고 해."

"……그래."

고개를 갸웃하는 재연의 약지에 반지를 끼워 준 F·D멤버들의 얼굴이 꽃처럼 피어난다.

"드래곤 스타는 재연 씨 명의로 돌려놓을게요. 어둑서니 오빠가 귀환하기 전에 처리해 주실 거예요."

"드래곤 스타 엔터도 재연 님한테 맡길게요. 어차피 저희만 있던 단체니까요."

"수련 너무 열심히 하지 말고. 지금 강해지는 속도 과할 정도로 빠르니까 서둘지 말고…… 알았지?"

차례차례 작별의 인사를 한다. 입을 맞추고, 포옹하고, 품에 안기고 몸을 쓰다듬는다.

"안녕……."

"나중에 봐! 꼭이야!"

"잘 지내라."

"사랑해요……."

"저, 저도……."

아직도 지쳐 있는 몸으로 마지막 인사를 나눈 뒤 그녀의 전함, 크로매틱으로 귀환한다. 그녀의 의식 중 마음이 약한 루비의 경우는 눈물마저 쏟았지만, 그런 그녀조차 [자신]의 결정에 반하지는 않았다.

"……."

욕심 같아서는 재연과 함께 드래고니아로 가고 싶다.

'하지만 그래선 안 돼.'

용중용인 그녀의 출산은 짧아도 십 년 이상, 길면 수백 년까지 걸릴 수 있다. 지금 그와 함께하는 것은, 자칫 기나긴 시간 그를 새장 안에 가두는 이기심이 될 수 있었다.

"언젠가…… 다시……."

그렇게 다짐하며 멀어지는 재연의 모습을 뒤로한다.

웅!

그녀는 몰랐지만, 바로 그 순간 그녀가 긴 시간 채우지 못해 포기했던 마지막 조각이 완성되고 있었다.

태어나서 처음으로.

필요해서(need)가 아니라 원해서(want)한 선택으로써.

* * *

사실 하위종과 용족 간의 사랑은 생각보다 빈번하게 이뤄져 온 일이다.

마룡을 해치우기 위해 모험을 떠난 용사.

난폭한 황제에 의해 감금되어 있던 성녀.

고고한 기상을 가진 선비, 유폐된 왕자, 순박한 사냥꾼, 헌신적인 용의 무녀 등등.

실로 많은 인간들이 용과 맺어졌다. 이는 전설, 전승, 역사로 기록된 명확한 사실.

때문에 용과 맺어지는 인간에 대한 이야기는 온갖 방식으로 다루어졌다. 소설, 연극, 뮤지컬 등등…… 물론 흔한 일은 아니라지만, 희귀하기에 더욱 로맨틱한 일이 아니겠는가?

그리고 그 이야기들은.

대부분 비극(悲劇)이다.

"저 녀석들……."

나는 오룡이들이 가만히 떠나보낼 수밖에 없었다. 그녀들의 상황을 눈치챘기 때문이다.

"내 아이……."

정지된 시간 속에서 칸이 중얼거린 혼잣말이 뜻하는 바는 너무도 명확하다.

드래고니아에 하나뿐인 크로매틱 드래곤, 용황 칸이 임신했다는 사실!

'임신이라니.'

당황하지는 않았다. 그녀들과 14박 15일의 시간을 보내면서 충분히 생각하고 있던 일이었으니까.

그러나 그게 의외가 아니라는 뜻은 아니다.

'대체 왜?'

인자를 넘기고 안 넘기고는 내가 제어할 수 있지만, 일단 인자를 넘기고 난 후의 변화를 결정하는 것은 수용자의 염원(念願)이다.

실제로 플라워는 내 인자를 받아 임신을 했지만, 헤이즈는 내 인자를 받아 물리적인 단전, 대기(大器)를 얻게 되었다.

'용족 최고 어른인 칸이 진심으로 아이를 바라다니.'

이건 사실 말이 안 되는 이야기이고, 그렇게 생각하게 된 이유를 설명하자면 인간과 용족이 맺어진 온갖 이야기의 결과가 대부분 비극(悲劇)으로 끝나는 원인부터 이야기해야 한다.

사실 드래곤들이 [문명]을 이루게 된 이후로는 그리 흔치 않은 일이 되었지만, 과거의 용족은 생각보다 쉽게 인간과 사랑에 빠졌다.

흔히 동양룡이라 불리는 용신족(龍神族)은 인간 등의 하위종과 접점이 많을 수밖에 없는 천년적공(千年積功)이나 천년수행(千年修行)이라는 과정을 거쳐야 하고 서양룡, 혹은 드래곤이라 불리는 용황족(龍皇族)은 아예 태어날 때부터 드래곤 폼과 휴먼 폼을 자유로이 오갈 수 있다.

용족들에게 인간들의 외모는 크게 거부감이 없는 종류

라는 말이며, 용종은 그들 중 특별한 영혼과 정신의 소유자에게 끌리게 된다.

'문제는 그다음이지.'

많은 용종과 인간족이 맺어졌다. 그들은 서로를 사랑했고 자연스럽게 그 결실을 만들기도 했다.

그것이 바로 하프 드래곤(Half Dragon), 용인(龍人).

흔히 드라칸(Drakan), 드래고니안(Dragonian), 드라코니안(Draconian)이라 불리는 존재다.

흔히 말하는…… 용족의 수치(羞恥).

"모르겠군……."

어쨌든 오룡이는 떠났다. 원망하는 마음은 없다. 내게 제대로 된 설명도 안 하고 떠난 건 좀 괘씸하지만 상황이 상황이니 어쩔 수 없는 일이다.

그녀는 수십만 년이나 살아온 초월자 중의 초월자이니 내가 강제로 껴들어 뜻을 꺾는 건 지나치게 오만한 일이겠지.

'그나저나 출산에는 얼마나 걸리려나?'

인간 남성과 용족 여성의 용인이 태어나기까지는 보통 수십 년, 심하면 백 년도 더 걸린다. 턱없이 부족한 하위종의 인자가 거대한 용종의 그릇을 채우지 못하기 때문에 벌어지는 현상이다.

인간이 초월자가 아니라면 용족이 사랑하던 인간은 늙어 죽고 남는 것은 용족이 본능적으로 혐오감을 느끼는 용인뿐이라는 말.

그러나 내가 어디 보통의 인간이던가?

극의지체를 완성한 내 육신은 이미 인간의 그것이라 보기 힘들다. 실제로 나와 플라워 사이에서 태어난 지성의 경우 태어나자마자 스스로의 힘으로 탯줄을 끊고 두 발로 일어났다. 그뿐이 아니라 녀석은 제자리에서 점프 해, 내 품에 안기기까지 했었다.

심지어 내가 품고 있는 대기는 드래곤 하트와 동급의 격을 가진 실체화된 단전이며, 지금에 이르러서는 그것을 완성까지 했다.

'문제는…… 오룡이가 그 이상의 존재라는 점이지.'

내가 인간을 초월한 존재라면 용황 칸은 용을 초월한 존재다.

대우주 모든 색채룡의 원형이라고까지 불리는 초고대 원시룡(元始龍). 황제 클래스에 오르다 못해 그 극한의 경지까지 도달한 초월자.

상황이 이러니 그녀의 출산까지 얼마나 걸릴지 정확히 가늠이 안 된다.

'뭐, 나도 이제 초월자니 엔간한 세월쯤은 문제없겠지.'

초월자라곤 해도 수명은 그 천성과 재능, 수련한 영능에 따라 가지각색이지만, 적어도 내 경우 천 년 안에 죽을 거라는 생각이 안 드는 상황.

느긋하게 움직이기로 했다.

[F·D의 난데없는 귀환 선언! 과연 그 이유는?]

[갑자기 태양계에 들어왔다 나간 드래고니안의 전함. 크로매틱!]

[현대판 로미오와 줄리엣?]

[한재연 드래곤 스타의 주인이 되다?]

"아이고……."

지구로 돌아오니 역시나 보통 난리가 아니었다. 하기야 테라급 전함 크로매틱이 아무리 대단한 기술로 만들어졌다 하더라도 34지구에 들키지 않고 태양계에 들어온다는 건 불가능한 일이다.

게다가 스페이스 스타인 F·D가 콘서트는커녕 제대로 된 인터뷰도 없이 34지구를 떠나기까지 했으니…….

"저기, 혹시 우리 프로에……."

"거절입니다."

"……후후. 짐작대로군요. 하지만 우리 국장이 예산을 15억까지 허락해 주셨습니다. 독점도 아니고 첫 번째로만 나와 주기만 하시면."

"그래도 거절입니다."

그 말을 단호하게 자르자 나태석 PD의, 아니 정확히는 그와 동기화 된 체다의 꼬리가 하늘로 솟구친다.

체다의 털이 빳빳하게 일어난다.

"재, 재연 씨가 15억을 거절하다니……!"

"아니……."

그야말로 하늘이 무너지는 걸 본 듯한 반응에 어이없어

하자 나태석 PD가 사과한다.

"죄송합니다. 미안합니다! 이렇게 심각한 일이었다니…… 제가 생각이 짧았습니다."

"그렇게 심각한 일 아니거든요?"

"현대판 로미오와 줄리엣이라고 하더니……."

"아, 아니라고."

내가 부정하거나 말거나 나태석 PD는 연신 사과하더니 통화를 끊었다.

"흠. 15억이라."

사실 좀 혹하는 마음이 들었지만 이 타이밍에 예능에 나가는 건 여러모로 위험한 일이다. 오룡이에 대한 이야기가 화제가 될 게 뻔하기 때문이다.

'물론 질문을 제한시킬 수도 있지만…… 십수 억을 받고 그럴 수는 없지.'

방송에 나가서 오룡이들에게 받은 이벤트라든가 14박 15일에 대한 은유를 하는 것도 여러모로 못할 짓이다. 심지어 오룡이가 떠난 것이 대한 질문이 들어온다면 필연적으로 [거짓말]을 해야 하는 상황이 오겠지.

시청자 중 정의신의 사제가 몇 만 명은 나오는 34지구에서는 너무도 위험한 일이다.

'뭐 그래도 예전이라면 했을지도 모르지.'

그래, 그랬을지도 모른다. 그만큼 나는 돈에 진심이었으니까.

그러나 지금은 상황이 좀 다르다.

'한동안 돈이 급할 일은 없어.'

올마스터를 업데이트 한 이상 한동안 주식이 크게 필요치 않다. 물론 자잘한 패치와 업데이트를 하게 될 일이 있을 수도 있지만 소모된 주식은 시간이 지나면 천천히 회복되기 때문에 그마저도 시간이 해결해 줄 문제다.

한동안은 올마스터의 활용법에 익숙해지는 데 더 집중할 생각이었다.

'그 사이사이 과금할 돈 정도는 인세로 충분하고.'

나는 이제는 아무도 없는 드래곤 스타를 가로질러 텔레포트로 도착한 문서들에 서명하고 서류를 몇 개 만들었다.

"로그인."

아르데니아로 들어간다.

지구에서는 14박 15일이 지났을 뿐이지만 아르데니아에서는 많은 시간이 흘렀다.

내 하나뿐인 아들, 지성은 성인식을 치른 뒤 관리가 되어 행정 업무를 보기 시작했고 드워프들은 본격적으로 수급 기가스를 생산하기 시작했다.

플레이어 중에 마스터의 경지에 이른 녀석이 쉰 명 가까이 추가되고 레드가 6서클을 완성했다.

그리고.

대장군 헤이즈 스타라이트가 생일을 맞이했다.

"60번째 생일 축하해!"

"악! 아악! 하지 말랬잖아!"

"황제 폐하의 생일 축하에 무엄하구나? 60번째 생일인데 말이야."

"60번째를 강조하지 말라고!"

빨개진 얼굴로 버럭하는 헤이즈를 보며 생각한다.

'이제는 아예 어려 보이기까지 하군.'

농담이 아니라 헤이즈의 모습은 거의 20대 초반으로까지 보인다.

온갖 관리에도 천천히 나이를 먹어 가는 플라워와 달리 그녀는 무학의 경지와 내 생체인자의 성능에 힘입어 불로장생의 영역에 발을 내디딘 것이다.

'생체인자를 생산해 볼까? 내 타격이 너무 크고 인당 한 번밖에 효과를 못 본다는 단점이 있긴 하지만…….'

그런 생각이 들었지만 이내 떨쳐 낸다. 인류제국의 성장이 한계에 도달한 것도 아니고 굳이 내 몸을 축내면서까지 전력을 키울 필요는 없다.

"그나저나 요새는 맨날 소설만 보는 거야?"

"너무 많이 밀렸어."

아닌 게 아니라 14박 15일의 여행 동안 아르데니아에 쌓인 원고가 그야말로 무시무시하다.

엄선한 작품만 쳐도 1,800질!

쌓인 것은 소설뿐이 아니다.

[집으로 돌아가 쓸쓸히-]

[혼자서 걸어가 외롭게-]

[어서 익숙해져야 괜히]

[시간 낭비하지 않을 텐데]

나는 도시 한편의 전광판에 비춰지는 하모니의 모습을 바라보았다.

'아, 노래들도 옮겨야 하는데 이거 언제 다 하나…….'

그렇다. 인류제국의 문화는 하루가 다르게 폭발하듯 성장하고 있다. 외계의 적들과 싸우게 되면서 문화가 좀 죽지 않을까 했는데 웬걸, 오히려 그 양적, 질적 팽창이 실로 예사롭지 않은 수준에 이르렀다.

작곡가, 가수가 다수 등장했고, 특히나 하모니의 활동은 그야말로 왕성하기 짝이 없다.

현실로 가져와야 하는 곡이 거르고 걸러도 수천 곡이 넘을 정도다.

"로그아웃."

현실로 돌아와 필사를 이어 나간다. 엄청난 작업량이지만 이건 예능과 경우가 달라 내버려 둘 수 없다.

말 그대로 열심히 하기만 하면 아무 리스크 없이 돈을 벌 수 있는데 어떻게 이걸 안 한단 말인가?

문제는 해야 할 일이 그뿐이 아니라는 사실이었다.

[안녕하십니까. 대표님. 최종 결제 관련해…….]

[오룡넷 신년 이벤트 관련…….]

[후원 목록에 대해…….]

"아놔!"

오룡이 녀석들이 34지구를 떠나면서 녀석들이 가지고 있던 기업들이 다 내 소유로 들어왔다. 오룡넷은 물론이고 드래곤 스타까지!

나도 황제 짬밥이 있어서 어떻게든 업무를 다 처리하고는 있긴 했지만 하루하루 정신이 없다.

"하모니를 비롯한 음악가들은 드래곤 스타 소속의 작곡가로 등록해야겠군…… 그리고 광고랑 개런티 관련 계약들은……."

업무들을 정리하다 보니 오룡이보다 어둑서니 생각이 더 난다. 별로 얼굴도 안 보이던 녀석인데 이렇게 많은 일을 하고 있는 줄 몰랐다.

"어둑서니 님 그립습니다……."

그의 빈자리가 너무나 크다. 필사해야 할 소설과 곡들이 잔뜩인데 다른 업무가 이렇게 많다니.

"그냥 기업을 다 처리해야 하나? 그건 또 너무 아까운데……."

그렇게 중얼거리며 체다의 배를 두드린다. 업무가 많든 말든 자동 사냥은 계속 돌려야 하기 때문.

그런데 그때.

그 투실한 배를 꾹 눌린 체다가 기겁하며 내 손을 피한다.

"꺄?"

"엥?"

잠시 멈칫한다.

'스마트 펫이 멋대로 내 손을 피해?'

그야말로 있을 수 없는 일이었다. 다른 곳도 아니고 구중심처나 다름없는 드래곤 스타에서 이 정도 수준의 해킹이라니? 리전이라도 쳐들어왔단 말인가?

그런데 체다가 나를 보며 깜짝 놀란다.

"황제 폐하? 여, 여기는 어디죠? 아니 이 몸은…… 고양이!?"

어리둥절한 표정으로 고개를 두리번거리는 체다의 모습에 황당해한다.

진짜 황당한 것은, 그 목소리의 주인이 누군지 내가 알 수 있었다는 점이다. 모를 수가 없다. 불과 좀 전만 해도 그녀의 노래 소리를 들었었다.

"……하모니?"

"네, 네 폐하. 어, 어째서 이런 일이……."

그렇다. 난데없이…… 하모니가 체다의 몸에 깃들어 있었다.

"아니, 뭐야?"

절로 헛웃음이 나온다. 너무나 뜬금없는 상황이었기 때문이다.

'아니, 뭐 내면세계가 흔들린다거나 하는 전조라도 있어야 하는 거 아닌가?'

언젠가 인류제국의 일원이 아르데니아를 벗어나는 상황이 있을 수도 있지 않을까 생각해 왔다. 우주는커녕 행성 규모에도 미치지 못하는 아르데니아는 온갖 기술과 영능을 받아들인 인류제국에게 너무나 좁은 세상이었기 때문이다.

그러나 내가 예상한 건 그들이 세계의 [벽]을 뚫고 내 내면세계로 나오는 정도였지, 이처럼 대뜸 현실로 튀어나오는 게 아니다.

게다가 나오면 나오는 거지 왜 체다에 빙의된단 말인가?

"죄, 죄송합니다. 폐하. 제가 뭔가를 실수한 것 같은데……."

더듬거리는 체다, 아니 하모니의 모습에 묻는다.

"뭘 하던 중이었지?"

"에, 그, 스킬을 확인하던 중이었습니다. 강림(降臨)이라는 스킬인데……."

"신화급 직업 스킬이군."

내 투자로 아르데니아에는 제법 많은 수준의 신화 클래스가 존재하게 되었지만 그들이 익히고 있는 신화 스킬은 몇 개 되지 않는다. 현실적으로 신화 스킬을 얻는 방법은 과금뿐이고 아무리 내가 돈이 많아도 모든 신화 스킬을 맞춰 줄 수는 없었기 때문이다.

그러나 단 한 명, 하모니만은 상황이 다르다.

캐릭터를 [계승]한 그녀는 과거 듀얼리스트의 원형으로서 기억을 계승했던 헤이즈처럼 해당 클래스의 모든 고유 스킬을 획득했다.

"잠시만."

"꺅!? 폐하?"

당혹스러워하는 하모니의 배를 두들겨 즐겨찾기에 추가해 놓았던 스킬 설명을 불러왔다.

강림(신화).

천상의 의지를 강림시킨다. 스킬 종료까지 모든 스텟의 격을 한 단계 내리고 [신성] 스텟을 한계치(999) 이상으로 올린다.

"신성 스텟을 잠시간 권능 스텟으로 올리는 능력인가……."

신성은 특수 스텟이니 굳이 말하자면 마나력의 권능 스텟이 개방된다는 말.

'페널티가 너무 심해서 내가 쓰기는 애매하지만…… 이게 이런 식으로 작동하다니.'

"폐하?"

"잠시."

"아, 네."

하모니를 놔두고 생각을 정리한다.

나는 아르데니아의 물건, 생명체들을 현실로 꺼낼 수 있다. 과금력만 충분하다면 얼마든지 가능한 일이지만, 당연히 거기에는 제한이 있다.

'그것이 리벤지의 것이어야 하지.'

리벤지의 것이라는 말은 아이템, 펫 등을 뜻한다. 내가 인류제국의 플레이어들을 34지구로 꺼낼 수 없는 이유기도 하다.

"그런데 이렇게 왔다……."

하모니를 바라본다. 체다의 모습, 그러니까 치즈색 뚱냥이의 모습을 한 그녀가 고개를 갸웃거리고 있다.

문득 떠오르는 생각이 있었다.

"로그인."

아르데니아로 들어간다. 이불로 풍만한 가슴을 가리고 있던 헤이즈가 일어서는 내 모습에 고개를 갸웃거린다.

"이 시간에 어딜 가?"

"일이 생겨서."

"이렇게 갑자기?"

"금방 올게."

그렇게 말하고 창밖으로 몸을 날린다.

푸확!

축제와 예술의 도시, 페스티벌 랜드까지의 거리는 수백 킬로가 넘었지만 도착에는 1초도 걸리지 않는다. 근력이 권능의 영역에 도달한 이후로는 내 몸을 그냥 물건을 잡아 옮기듯 이동할 수 있어 기동력이 상상을 초월하는 수준이다.

"폐하."

그리고 그렇게 도착한 콘서트장에는 인류제국 최고의 슈퍼스타, 하모니가 기다리고 있다.

"역시 기억하는 모양이군."

내가 지구로 넘어가면 아르데니아의 시간은 멈추기 때문에 하모니의 기억이 없거나 문제가 생기지 않을까 싶었는데 다행히 그건 아닌 모양이다.

"네, 폐하. 하지만…… 그곳은 대체 어디였습니까?"

"말하자면, 세계의 밖이지."

"……역시."

아르데니아의 외벽의 존재는 아르데니아의 사람들 역시 당연히 알고 있다. 천장의 벽이야 확인이 거의 불가능하지만 배를 타고 바다로 나가면 어디로 가든 막혀 있으니 당연한 일이다.

"로그아웃."

지구로 돌아간다. 하모니의 고개가 번쩍 들려진다.

"다시 고양이가……."

아무래도 그녀는 자신이 깃든 고양이가 생명체가 아니라는 사실을 모르는 모양이다. 하기야 아르데니아에서 나고 자란 그녀 입장에서 스마트 펫이라는 개념을 이해하기란 어려운 일이리라.

"뭐 됐고."

하모니를 번쩍 들어 작업실로 이동한다. 하모니는 꽤 혼란스러운 분위기였지만 당장 중요한 건 그게 아니다.

"꺅! 폐하!?"

그래. 당장 중요한 것은.

"잘 왔다. 하모니."

내가 해야 했던 작업이다.

"악보 좀 옮겨 써."

"……?"

* * *

14박 15일의 여행에서 돌아온 뒤 나는 대부분의 외부 활동을 정리했다. 뻔질나게 드나들던 예능국에는 발도 들이지 않았고 들어오는 영화 섭외도 다 거절했다. 심지어 CF조차도 이미 계약했던 것 말고는 추가로 계약하지 않았고 용병 일까지 멈췄다.

당연히 관련 수입이 날아갔지만 상관하지 않는다. 올 마스터를 획득한 시점에서 급하게 돈이 필요한 일이 없었기 때문이다.

그리고 사실.

수입이 형편없는 것도 아니다.

"어디 보자 요번 달 수입이 287억인가……."

오룡이 녀석들의 [선물]로 금전 감각에 오류가 생겨 버린 상황이기에 대충 넘기지만, 돌아보면 엄청난 수익이다. 연소득도 아니고 다달이 수백억씩 벌어들일 수 있는 사람이 세상에 얼마나 되겠는가?

심지어 지금의 난 예전처럼 열일하는 상황도 아니다.

↳아레스(길드 마스터) : 태풍산맥에 별동대가 들어왔네! 막아 줄 수 있나?

↳킬리언스 : 바로 갑니다!

↳지존법사 : 와 공격 거세네요. 착점 두 개 더 먹었다고 너무 견제 들어오네!

최근에는 리벤지 플레이에 집중하고 있다. 공성전, 레이드, 길드전 전부 참가하고 특수 던전도 꼬박꼬박 다니는 상황.

[공지 : 서버 안정화를 위해 18시 30분부터 30분간 긴급 점검을 진행합니다.]

도곡동여신 : 와 미친 또 긴급 점검이라고? 이게 내가 알던 리벤지가 맞나?

일성의노예 : 우주흥겜 리벤지니 어쩔 수 없다잖아요.

암거나 해 : 아니 이게 진짜 리얼이고 실화라고? 나는 이 현실을 받아들일 수가 없어!

도곡동여신 : 리벤지 서버 절대증설해!

뛰뛰빵빵 : 리벤지가 우주 대흥겜이라니…… 똥겜 역전 세계…….

정신없이 올라오는 채팅 내역대로 최근의 리벤지의 기세는 그야말로 무시무시하다.

[대우주 흥겜 리벤지? 동시 접속 1900만 돌파!]

[네메시스 소프트 : 서버 증설 계획 없다. 리벤지는 오로지 단일서버.]

[이것이 진정한 메타 버스? 단순한 게임이 아니라 새로운 세상을 지향하는 리벤지.]

[마나 코인의 모든 것! 게임을 접속해 일을 한다고?]

[리벤지 하루 매출 또다시 경신! 5811억!]

34지구에는 과금에 집중한 게임을 멸시하는 풍조가 있었다. 왜 안 그렇겠는가? 이곳이야말로 게임의 신, 게임 마스터가 지배하는 곳인데.

그러나 지금, 미친 과금게임 리벤지는 그 어떤 게임도 따라갈 수 없는 독자적인 영역을 구축하고 있었다. 게임으로서의 완성도와 재미는 여전히 떨어지는데도 플레이어의 수는 날이 가면 갈수록 늘어가는 것이다.

[서버 접속 대기]

서버가 혼잡합니다. 잠시만 기다려 주세요.

대기 순위 : 31만 6991명.

대기 시간 : 4분 22초…….

"아 좀……."

점검이 끝나자마자 켰는데도 접속 대기가 걸린다. 너무나 당연하지만, 34지구의 플레이어만으로는 불가능한 현상이다.

"하위 문명 플레이어는 대체 언제까지 늘어나는 거야……."

네메시스는 끝도 없이 하위 문명의 플레이어를 늘려 갔다.

물론 원칙적으로 그들은 전부 무과금 유저다. 돈을 내는 고객이 아닌 돈을 벌어가는 노동자의 입장.

그들은 네메시스 소프트에 돈을 벌어다 주기는커녕 서버에 부하만 준다. 상식적으로 생각하면 이런 유저를 무수히 받아들인 네메시스는 흥하기는커녕 파산해야 정상이리라.

마나 코인이라는 새로운 [화폐]를 만들어 그들의 [노동력]을 활용한다 해도 그저 손해를 벌충하는 것에 불과해야 하는 상황!

그러나 현실은 다르다.

'하긴, 원래 리벤지 같은 과금 게임은 우월감을 느끼려고 하는 거고…… 우월감이라는 건 나보다 열등한 존재가 있어야 성립하는 단어니까.'

예전의 리벤지는 100만 원쯤 결제해 봐야 헤비 과금러들의 발깔개나 할 수 있을 따름이었다. 100만 원이 적은 돈은 절대 아니지만…… 경쟁이라는 것은 원래 상대적이기 때문이다.

100만 원 과금한 자를 1,000만 원 과금한 자가 짓밟고 1,000만 원 과금한 자를 1억 원 과금한 자가 짓밟는 수라장!

그러나 이제는 다르다.

리벤지에 무수히 많은 무과금 플레이어가 추가되었고, 이제 리벤지는 10만 원만 결제해도 상위 10%에 들어갈 수 있는 게임이 된 것이다.

'이게 참 좋은 거라고 죽어도 말할 수가 없는데…… 이게 하위 문명에 도움이 되는 건 틀림없는 사실이니.'

기막힌 현실에 헛웃음 짓고 있을 때였다.

도도도!

작업실 문이 열리며 치즈색의 뚱냥이가 휴게실을 가로지른다. 열심히 소파와 테이블을 피해 내 쪽으로 달려온 녀석이 내 앞에서 예를 표했다.

"오늘치 작업 끝마쳤습니다!"

"많이 빨라졌네. 아직 저녁때인데."

아르데니아의 하모니는 준 초월자지만 지구에서 그 힘이 제대로 적용되지 않았기에 지금의 그녀는 일개 스마트 펫일 뿐이다.

'아니. 엄밀히 말하면 스마트 펫도 아니고 그냥 고양이 수준이지.'

하기야 당연한 일이다. 아무리 스마트 펫에 빙의했다 해도 원래 인간이던 하모니가 기계의 감각에 눈을 떠 매직 스토어를 열거나 앱을 실행시킬 수 있겠는가?

그녀가 현실에 간섭할 수 있는 수단은 철저히 물리적인 방법뿐이다.

"열심히 했습니다! 그래서 말인데……."

꼼지락대는 하모니의 모습에 쓰게 웃는다.

"그래 인터넷 해. 딱 1시간 만이다."

"감사합니다!"

두 손 모아 공손히 예를 표한 하모니가 후다닥 달려간다.

'그렇게 좋을까.'

34지구에 처음 왔을 때의 혼란은 어디로 간 건지 하모니는 이곳에서의 생활에 완전히 적응 한 상태였다. 인간이 아닌 고양이의 몸임에도 아무런 불만이 없어 보인다.

'예전부터 느꼈지만…… 진짜 적응력이 보통이 아니군.'

지금의 아르데니아를 내가 늘 욕하던 [중세]라 말하긴 어려울 것이다. 도로에는 버스가 오가고 성벽에는 대포가 설치되어 있으며 드워프들이 기가스를 제작하고 있는 세상이 어찌 중세일 수 있겠는가?

그러나 그렇게 변한 세상이라도.

사람들은 여전히 중세 사람이다.

아무리 아르데니아의 변화가 천지개벽(天地開闢)에 비할 만하다 하더라도 시간으로는 고작 20년에 불과하다. 아직도 인류제국의 구성원 대부분은 중세시대에 살던 이들인 것이다.

절대적인 강함과 카리스마를 지닌 황제와 그를 향한 신앙과도 같은 충성이 없었다면 굳건한 인류제국이라도 쉴 새 없이 삐걱거렸을 정도.

그런데 그 중세 출신인 하모니가 하루 만에 인터넷을 터득한 건 물론이고 고양이 손으로 인터넷을 돌아다니는 수준에 이르러 이제는 매일 인터넷을 하게 해 달라고 조르는 지경에 이른 것이다.

'뭐, 똑똑한 녀석이니 문제 될 일은 벌이지 않겠지.'

그렇게 생각하다 문득 궁금해진다.

저 녀석, 인터넷으로 뭘 보는 걸까?

"인류제국 최고의 아티스트니…… 당연히 음악 쪽이겠지? 마이튜브를 돌아다니며 온갖 장르를 섭렵한다던가."

자리에서 일어난다. 하모니는 내가 마련해 준 작업실로 들어갔지만 드래곤 스타의 주인인 나는 당연히 그 안을 들여다 볼 수 있다.

팟!

작업실 가운데에는 마이크가 세팅되어 있다. 그 옆에는 키보드가, 옆에는 건반이 있었는데 제법 신경 쓴 듯 고양이의 몸으로 한 자리에서 커버가 가능하도록 세팅되어 있다.

그리고 그 한가운데에서.

"안냥! 안냥! 모두들 안냥! 오늘도 귀엽고 깜찍한! 고냥이 하모니가 왔다냥~!"

하모니가 분홍색 육구를 팔랑거리며 카메라 앞에서 춤을 추고 있었다.

"……."

잠시 멍하니 바라본다. 하모니가 보고 있는 화면을 보니, 동시 접속자가 1,300명이다.

"아니, 아니 무슨."

기가 차서 헛웃음이 나온다.

"적응이 너무 빠른 거 아니냐……."

인간이었던 그녀가 고양이의 몸에 익숙해지기에도 짧은 시간 같은데, 웹서핑 정도나 하는 것도 아니고 인터넷 방송을 하고 있다니 기가 찬다.

게다가 얼마 안 됐을 게 뻔한 방송 경력 주제에 녹방도 아니고 생방을, 그것도 천 명이 넘는 시청자를 끼고 하다니?

'그러고 보면 나도 인터넷 방송을 했었지.'

목표는 당연히 수익. 그러나 결과는 어땠는가?

'대차게 망했다.'

배우로서의 인지도가 생기기 시작하던 시점에다 무과금 신화 뽑기 이슈로 충분한 포텐을 가지고 있는 채널이었지만 단지 그뿐. 내가 방송으로 벌어들인 수익은 별 의미 없는 수준에 불과했다.

결국 문제는 콘텐츠 부족.

인터넷 방송이 그리 만만한 판이 아니다. 채널을 키우려면 사람들을 끌어모아 잡아 둘 콘텐츠가 필요한데 내가 진행한 콘텐츠라 해 봐야 책 읽어 주기 정도에 불과했으니 어찌 흥할 수 있겠나?

그러나 하모니는 하루에 고작 1시간 방송으로 꽤 자리를 잡아 가는 분위기다.

'예전이었다면 어떻게 수익을 만들어 볼까 고민했을 정도의 인재로군.'

물론 이제는 아니다.

지금의 내가 벌어들이는 수익은 인터넷 방송인 하나 정

도는 '따위'라 불러도 모자람이 없는 수준이기 때문이다. 오룡넷에서 연재를 진행 중인 계정이 천 개가 넘고 드래곤 스타에 등록한 곡이 수백 곡을 넘은 상황이 아닌가?

그뿐이 아니다.

단지 쉬고 있을 뿐…… 지금의 난 우주 용병으로서 임무를 수행하면 한 방에 수백억씩 벌 수 있다. 내 전투력이 과거와 비교할 수 없을 정도로 올랐으니 그 난이도조차 숨 쉬듯 쉬울 것이다.

"뭐, 재미있는 모양이니 놔두지 뭐."

방송을 하다 말실수하는 일만 없도록 당부해 놓으면 될 것이다. 워낙 똑똑한 녀석이니 알아서 조심하겠지만.

팟!

PC로 자동 사냥을 시켜 둔 뒤 인터넷을 켠다. 체다가 하모니가 되어 버렸으니 스마트 펫을 새로 사야 한다.

'이번에는 기능이 좀 많이 담긴 걸로 사야겠다.'

선물 받을 때의 체다는 나온 지 얼마 안 되는 최신형 스마트 펫이지만 몇 년이 지난 지금은 상황이 다르다.

게다가 체다는 누구나 살 수 있는 일반형.

'돈도 넉넉하고 어떤 필요성이 있을지 모르니…… 군용으로 가자. 전자기기는 무조건 군용이지.'

일반인은 구매가 불가능한 군용 스마트 펫이지만 특급의 용병 등록증은 모든 것을 가능하게 한다.

심지어 나는 초월자 프리미엄으로 VVIP 서비스까지 들어온다.

"어디 보자……."

나는 커스텀 칸으로 들어가 궁극 마법까지 가능한 매직 스토어를 시작으로 전함 클래스의 반응 장갑과 강철계가 자랑하는 수급 라이트닝 하트를 추가했다.

뿐만 아니라 최상급 A.I. 최신 기술 아스트랄 네트워크에 접속할 수 있는 특수 단자, 특대형의 인벤토리와 주문 창고, 81종의 복합 결계까지.

그렇게 모든 기능을 추가하자.

"중량 5.3톤에 510억?"

미쳐 버린 가격이었지만 예전의 내가 아니다.

"신화 카드 5장이네."

[구매 완료]

"훗."

뭔가 만족스러운 기분으로 창을 닫고 디스플레이를 켠다. 켜진 것은 뉴스 채널이었다.

[우주 평화군이 테리움 행성을 구원했습니다. 벌써 11번째 성공인데요. 테라움 행성은 생존자가 21억 명밖에 남지 않은 엄청난 피해를 입었지만…….]

[테리움 행성의 챠드 통령은 34지구에 감사의 인사와 함께…….]

"그러고 보니 저게 있었지."

우주 평화군.

34지구가 몬스터 사태에 휩쓸린 문명들을 위해 일으킨 군세다. 일종의 봉사 활동 단체로 쉬고 있던 어르신들과 현역 용병들로 이루어져 있다.

용병청의 천현일 청장이 참여하지 않겠냐고 물었었지만, 명예나 권력보다 돈에 더 관심이 많던 나였기에 흐지부지되고 말았다.

당연한 일이다. 해야 할 과금이, 사야 할 주식이 얼마인데 봉사 활동 따위에 참가하겠나?

그러나 지금.

문득 그런 생각이 들었다.

"참가해……. 볼까?"

믿을 수 없을 정도로 마음이 넉넉하다. 나 스스로를 끊임없는 노동으로 밀어 넣던 결핍이 해소되었기 때문이다.

[34지구의 이민 신청이 전년 대비 4,500% 증가했습니다. 한국 정부는 인도적 차원에서 화성 델타 지구에 대규모 난민 구역을 건설하고…….]

뉴스의 내용을 흘려들으며 생각한다.

나는 네메시스의 소프트를 15.3퍼센트 소유한 대주주.

이 주식은 업데이트를 진행해 소모된다 해도 시간이 지나면 회복되는 종류의 자원이었기 때문에 나는 더 이상 주식을 더 사려고 아등바등할 필요가 없다.

'아니, 사실 회복을 생각할 필요도 없지. 그냥 포인트가 남으니까.'

사실이 그렇다. 올 마스터 업데이트에 필요한 포인트가 345만이었는데 오룡이에게 받은 15.3퍼센트의 주식이 가진 흥행력이 571만 포인트였기 때문이다.

여기에서 더 심한 대규모 업데이트를 해야 한다면 이야기가 다르겠지만, 지금 이 상황에 황제급 클래스 올 마스터 이상의 업데이트가 어디 있겠는가?

설사 네메시스에서 무개념 업데이트를 한다 해도 [그녀]가 그걸 구현하지 못할 것이다.

'……그렇군.'

그러다 문득 깨닫는다.

지금의 내가…… '경제적 자유'를 얻었다는 사실을.

"……."

돌아보면 머큐리 센터에서 오룡이에게 365만 9,760주의 네메시스 주권을 받는 바로 그 순간부터 나는 더 이상 일을 할 필요가 없었다.

더 이상 하루 24시간 내내. 요일이고 뭣도 없이 날마다 일할 필요가 없다.

하루에 두세 시간씩. 아르데니아에서 끊임없이 생산되는 글과 곡만 현실에 옮겨도 다 쓰지도 못할 수준의 수익을 얻을 수 있다.

오룡이가 내게 증여해 준 드래곤 스타와 오룡넷 관리로

골치가 아팠지만, 지금 차분히 생각해 보니 미련한 짓이었다.

내가 이걸 왜 직접 하나? 사람을 쓰면 되는데!

"정말, 격세지감이군."

자리에서 일어나 유리로 된 벽면에 선다. 수백 미터 아래 늘어져 있는 도시 사이에 한 편의점의 모습이 보인다.

34지구 기준으로는…… 불과 몇 년 전만 해도 내가 알바를 해 돈을 벌던 곳이다.

[2위 강보람 님. 3위 데몬베인 님을 제치고 연예계 부동산 재벌 1위에 랭크된 대망의 1위는…… 두구두구두구!]

[바로 황제! 한재연 님입니다!]

[한재연 님이 소유한 부동산 가치는 무려 3,114억인데요! 한재연 님의 소속사 드래곤 스타가 있는 이 건물은 이미 5년 전 한국건축문화대상 대통령상을 받은 최고 등급의 초고층 빌딩이라고 하네요!]

[정말 놀라운 사실을 아시나요? 한재연 님께서는 이 건물을 무려 증여받으셨다고 합니다! 증여인…… 아니 증여룡? 하여튼 증여하신 분은 우주적인 대스타 파이브 드래곤인데요! 그녀들과 한재연 님의 아름답고 슬픈 로맨스 스토리는…….]

뚝!

어느새 연예란으로 넘어가 버린 뉴스를 꺼 버린다.

"으음……."

나는 온갖 마법이 덕지덕지 발려 있는 최고급 소파에 몸을 눕혔다. 부상을 치료하기 위해서도, 피로를 회복하기 위해서도 아닌 그냥 그 자체가 목적인 휴식.

"좋군."

가볍게 웃는다.

너무나 평화롭고, 한가한 시간이었다.

chapter4.

흉행

chapter4.
흥행

[대우주는.]

단상에 오른 어떤 '존재'가 단언한다.

[멸망할 겁니다.]

그것은 꽤 심각한 이야기였지만 그럼에도 당황하는 이는 아무도 없다. 왜냐하면 그가 회의 때마다 늘 하던 말이기 때문이다.

다만 문제가 있다면…….

[43퍼센트 확률로.]

평소와 달리 오늘은 그 뒤에 평소와 다른 수치가 붙었다는 사실이었다.

단정적인 말에 회의실이 술렁인다.

"아니…… 뭐라고요?"

―……?

[엥? 4퍼센트? 왜 이렇게 폭등했어? 0.8퍼센트일 때도 대책 회의가 열렸었는데…….]

[4퍼센트가 아니라 40퍼센트야!]

-……!? ……? ……!?

"이게 무슨 말도 안 되는 소리야? 갑자기 왜!?"

회의실에는 수백 명도 넘는 존재들이 있었다. 종족은 다양했다. 인간, 엘프, 드워프 등은 물론이고 캔딜러족, 프라야나족, 용족 등의 초월종도 잔뜩 있는 자리.

중요한 것은 그들 대부분이 초월자, 혹은 그에 준하는 존재라는 것이다.

그들 중 기다란 뿔을 달고 있는 용종이 손을 든다.

[교장! 농담이죠?]

[아닙니다.]

[아니 아무리 그래도 이렇게 갑자기요? 1년 사이에 특별히 나쁜 일이 있던 것도 아니잖아요. 몬스터 사태도 많이 정리되었는데…….]

그녀의 말대로 몬스터 사태는 거의 안정된 상태였다. 대우주 전체에 무작위로 '던져지는' 몬스터의 등장은 무방비했던 수많은 문명에 천문학적인 피해를 줬지만, 그 피해를 딛고 일어난 문명들은 모두 나름의 방어 시스템을 짜 내는 데 성공했기 때문이다.

3문명에 들어선 많은 문명이 거주 구역에 몬스터가 등장하지 못하도록 하는 차원 장막을 치거나 차원 유도기로 리젠 위치를 한정하여 그들을 격퇴하고 있는 상황.

몬스터는 틀림없이 대우주에 어마어마한 피해를 입혔지만, 이제는 그들이 [드랍]하는 아이템의 가치가 재조명되기까지 하는 시점이다. 이대로 시간이 지나면 수많은 문명이 과거 이상으로 부흥하게 될 게 확실하게 여겨질 정도!

–그런데 멸망이라니…….

"멸망……."

믿을 수 없는 말이었지만 자리에 있는 그 누구도 그의 말이 헛소리라고, 웃기지 말라고 비웃지 못했다.

왜냐하면 그가 바로 우주 제일의 학술 기관인 우로보로스의 교장이자 우주 유일의 11클래스의 수련자인 미스터리(Mystery)였기 때문이다.

검은색 기운으로 온몸을 둘러싸고 있어 외향은커녕 그 종족조차 파악할 수 없는 미스터리는 차분한 목소리로 말했다.

[이건 최초 등장한 몬스터의 숫자와 등장 지점. 그들에게 당한 피해자들의 숫자와 영격(靈格)의 분포. 이건 초월급 몬스터의 등장 시점과 녀석들이 품고 있는 영혼의 스펙트럼입니다. 그리고 무엇보다…… 명계(冥界)의 지옥로(地獄爐) 활성 그래프를 보면 확실하지요.]

허공에 주르륵 떠오르는 막대한 정보를 자리에 앉은 수많은 초월자들이 홀린 듯 바라본다.

자리에 있는 이들의 수준이 워낙 높았던 만큼 금세 상황을 눈치챘다.

"이런, 미친…… 지금껏 카르마(Karma)를 약탈하고 있었다고? 이게 가능해?"

[설사 가능하다 해도 이렇게 대규모로? 그 대단하다는 지옥로조차 고작 태워서 에너지로 바꾸는 게 전부인데 그냥 그대로 가져가다니.]

"말도 안 돼. 카르마의 본질은 인과(因果)란 말이야. 다른 존재의 역사와 결과를…… 어떻게 자기 걸로 할 수 있어? 그걸 가져온다는 건 죽음이라는 결과도 가져오는 건데?"

–아니, 아니 잠깐. 그러면 설마 지금 쏟아져 나오는 초월급 몬스터는.

극도의 흥분으로 몇몇 특이종이 빛을 번쩍이고 동시에 토해지는 노성으로 회의실이 시끄러워진다.

–설마, 사람들을 죽이면 죽일수록 카르마를 약탈해 더 상위의 몬스터를 만들 수 있는 겁니까? 아니, 잠깐 이 계산식대로라면…….

[몬스터에게 초월자가 죽으면 더 상위의 존재도 가능하겠군요.]

"그건, 그건 있을 수 없는 일입니다…… 아니 설마. 진짜로?"

–황제 클래스…….

점점 심각해지는 분위기에 회의실 구석에 앉아 있던 멀린이 손을 들어 이마를 짚었다.

'아…… 돌겠군. 다크 스타를 흥행시켜야 하는데 우주

멸망? 이제 술식도 시스템도 다 완성해서 서비스 영역만 넓히면 되는데 이게 무슨.'

팟!

"음?"

고민하던 멀린의 표정이 굳는다. 그는 어느새 회의실이 아닌 조용히 타오르는 모닥불 앞에 있었다.

당연하지만 이런 일이 가능한 이는 단 한 명뿐이다.

"……미스터리."

[교장이라고 불러 주시겠어요? 멀린 교수?]

언제나 그랬듯 예의 바른 태도로 미스터리가 웃는다. 웃는다, 고 말해 봐야 새까만 기운으로 덧칠되어 있는 그의 표정을 보는 건 불가능하지만 말이다.

"무슨 일이시죠? 이렇게 난데없이."

[죄송합니다. 아무래도 남들 앞에서 할 이야기가 아니라서.]

미스터리의 말에 멀린의 표정이 굳는다.

'이 요괴 같은 녀석…… 도저히 정체를 모르겠단 말이지.'

그는 우주적인 천재였고 또 위대한 마법사였지만…… 그런 그에게조차 미스터리는 미지의 존재였다. 하기야 누가 그렇지 않을까? 우주 유일의 11클래스 마법사인 그를 제대로 아는 존재는 마법의 신인 염룡 카인 정도일 것이다.

"남들 앞에서 못할 이야기라면 그냥 안 해 주셨으면 좋겠는데요.”

[그럴 수는 없지요. 이미 말했다시피 대우주가 멸망할 위기니까요.]

“……그래서요?”

[그래서 뭐 일단은.]

대우주 제일의 학술 기관 우로보로스의 교장이자 우주 제일의 마법사, 미스터리가 말한다.

[다크 스타를 좀 흥행시켜 볼까요?]

그 멀린에게 후원자가 생기는 순간이었다.

* * *

항상 주어진 상황에 만족하는 편이었다.

어릴 적부터 눈치가 빠른 편이었고 어디에서든 쉽게 적응했다. 어떤 일이 생기면 남을 원망하기보다 스스로에게서 이유를 찾았기에 검투장의 주인인 타인 남작 역시 그를 예뻐했다.

지금의 상황이 비정상이라는 걸 알지 못했다. 태어날 때부터 이미 모든 게 결정 나 있었으니 의문을 가질 수조차 없었다.

그래, 그는 주어진 상황에 불만을 가지는 성격이 아니었다.

뭉개진 자루라는 대충 지은 이름도, 하루 18시간의 가혹한 노동도, 부족한 안전장치로 공장에서 죽어 나가는 동료들을 보면서도 그저 불운에 안타까워했을 뿐.

그러나 게임, 블레이드&매직에 들어가게 되면서.

다른 세상에 살고 있는 [플레이어]의 잔영(殘影)을 만나게 되면서.

그는 깨닫게 되었다.

자신이, 그리고 자신들이 노예(奴隸)라는 사실을.

[대협곡에 오신 것을 환영합니다.]

필드에 들어선다. 금낭은 1레벨 스텟을 근력과 체력에 몰아 찍고 초보자의 대검을 찍고 우물에서 출발했다.

바로 태클이 들어온다.

건설회사 아가씨 : 아니 님. 민첩을 하나도 안 찍어요? 그래서는 챔피언이 아니라 미니언한테 맞아죽어요

디지몬 카이저 : 생명력도 안 찍네…….

프리즘 : 님 리폿해도 됨?

금낭은 재빨리 전체 채팅을 올렸다. 게임 초반부터 [정치]를 당하게 되면 큰일이다. 이길 전투도 질 수가 있었다.

금낭 : 형님들! 속단하지 말고 절 한번 믿어 주십시오! 한판 한판을 인생처럼! 진지한 게임 인생 금낭입니다! 의

심 가신다면 전적 봐 주십시오!

건설회사 아가씨 : 승패승패승승인데? 보통 아님?

금낭 : 팀을 잘못 만나서 그렇습니다! 킬 데스 어시를 봐 주세요. 절대 안 죽고 사리면서 팀의 딜을 책임지겠습니다!

디지몬 카이저 : 와. 진짜 안 죽긴 하네요. 7/0/16에 1/0/8에…….

건설회사 아가씨 : 아니 진 판도 노데스? 플레이 스타일이 어떻게 되기에 이렇게 안 죽음? 민첩하고 생명 하나도 안 찍고 이게 말이 되나?

프리즘 : 아니 근데 전판도…… 전전판도 전전전판도 한 번도 안 죽었는데? 아니 최근 10전에 죽은 적이 없는데 뭐 이런 게 있음? 승률이 무지막지한 것도 아닌데.

디지몬 카이저 : 와 특이하다. 이렇게 특이하면 아이디 정도는 알 만 한데.

건설회사 아가씨 : 금낭…… 금낭…… 뭐지? 진짜 첨보는 아이디네.

팀원들이 의아해하는 분위기에 금낭이 쓰게 웃었다.

'당연히 처음 볼 수밖에 없지. 현실 랭킹에 있는 것도 아니니.'

그의 세상, 블레이드&매직은 두 개의 세상으로 분리되어 있다.

그중 하나는 소환사의 세상. [엘더리움].

차원 방벽이 얇아 외계의 존재를 쉽게 소환할 수 있다

는 설정을 가진 엘더리움은 온갖 괴물, 영웅, 무기 등을 소환해 싸우고 발전하는 세상이다.

당연히 실존하는 세상이 아니다. 블레이드&매직의 배경이 되는 세계관!

'엘더리움에서는 내가 그냥 단순히 이계에 떨어졌다고 이해했지.'

그러나 또 하나의 세상은 그런 오해를 할 수 없게 만든다.

[영원의 전장]

대협곡을 비롯한 5개의 전장으로 이루어진 그곳은 엘더리움과 같은 세계관을 가지고 있는 곳이지만…… 엄밀히 말해 엘더리움이 아니다.

그곳은 게임, 블레이드&매직 그 자체.

영원의 전장에 참여하는 이들은 엘더리움의 챔피언이나 소환수가 아닌 현실의 [플레이어]였다.

'다만 진짜는 아니지.'

아쉽게도 그들과 친분을 쌓고 우정을 쌓아 가는 것은 불가능하다.

이곳 영원의 전장에서 만나는 플레이어들은 진짜 플레이어가 아니라 현실의 플레이어들을 흉내 낸 일종의 잔영(殘影)이기 때문이다.

게임에서 친해지고, 혹은 싸워서 이름을 기억시킨다 해도…… 다음에 다시 만난 그들은 금낭을 기억하지 못했다.

[퍼스트 블러드!]

금낭은 이를 악물고 라인전에 집중했다. 미니언을 죽이고 덤벼드는 챔피언의 목을 땄다.

우물의 상점에는 들리지도 않았다. 진득하게 라인에 집중하며 레벨이 오르는 족족 근력과 체력만 찍었다. 늘어난 체력은 라인에서 버틸 수 있는 지속력을, 강한 근력은 적을 해치울 데미지를 선사했다.

[더블 킬!]

기형적으로 낮은 민첩으로 인해 적의 공격을 감지조차 할 수 없다. 종잇장 같은 생명력은 적의 공격을 한 번만 맞아도 사경을 헤맬 정도다.

'간다.'

그러나 그는 맞지 않았다. 그는 자신의 죽음, 혹은 그에 준하는 최악의 사태를 알 수 있었기 때문이다.

팟!

자신의 머리가 쪼개지는 장면을 보자마자 엄지발가락에 힘을 줘 쓰러지듯 몸을 날린다. 칼바람과 함께 볼을 스치고 땅을 내리찍는 검을 빗겨 내며 틈이 드러난 적의 어깨를 베어 낸다.

"아! 시발! 아니 왜 한 대가 안 맞아? 초식이 그렇게 정교하지도 않은데!"

맞은편의 적이 소리쳤지만 대꾸하지 않았다.

그저 오가는 검식, 나누어지는 공방에 집중한다.

'간다…….'

[금낭 님이 히아신스 님을 처치했습니다!]

'간다……!'

전투가 순조롭다.

그런데 고지가 눈앞인 바로 그 순간.

프리즘 : 어? 금낭님 요번 판 이기시면 골드 랭크심?

심상치 않은 채팅이 올라온다. 금낭은 아찔해지려는 정신을 가다듬고 말했다.

금낭 : 네! 형님 열심히 하고 있습니다!

프리즘 : 아, 골드 너무 쉽게 가면 안 되는데…….

"아니, 미친 이게 무슨……."

우물의 상점에서 철혈의 대검과 광전사의 신발 등의 장비를 구매하고 있던 금낭의 입에서 절로 욕이 나온다.

그러나 가까스로 진정하고 채팅을 올린다.

금낭 : 완전 힘들게 왔습니다. 형님! 이 악물고 최선을

다하고 있습니다!

프리즘 : 에이 10판 동안 노데스인데. 이렇게 골드 가면 완전 자기가 잘해서 가는 줄 알 거 아니에요?

금낭 : 아닙니다. 운이 좋았습니다! 이번에도 아군을 잘 만난 듯합니다! 꼭 이겨서 골드 가게 해 주십시오 형님!

끝까지 예의를 갖춘 금낭의 말에도 잠시 채팅이 없다.

금낭은 라인으로 복귀하며 기도했다.

"제발…… 제발……."

그리고.

프리즘 : 시름.

그 말을 마지막으로.

프리즘이 영원의 전장을 가로질렀다. 죽고, 죽고, 또 죽었다.

디지몬 카이저 : 아 미친놈인가 왜 갑자기 발작 버튼 눌리고 지랄이야.

건설회사 아가씨 : 리폿 지랄하더니 리폿 전문가였네 ㅅㅂ

팀원들의 비난이 쏟아졌지만 프리즘은 신경도 쓰지 않고 계속 죽었다. 그가 죽는 만큼 적들의 스텟이 점점 올라가고 장비가 업그레이드된다.

금낭은 이를 악물고 전투를 풀어 나가려 했지만, 어느 순간을 넘어가자 적들의 스펙이 너무나 높아지고 말았다. 어찌나 심한지 적을 마주하는 순간 [죽음]이 보이는 지경이 되었던 것!

그리고 그 결과.

[패배.]

[승급전에 실패했습니다.]

[실버0->실버1]

"……로그아웃."

금낭은 자신의 세계, 밀리안 대륙으로 돌아왔다. 그의 동료들은 모르지만, 대우주에서는 시계은하 파라온계의 파라온 행성이라 불리는 곳이다.

"아, 제길. 작업 전에 골드 랭크를 찍고 싶었는데."

깊게 한숨 쉰다. 마지막에 만난 플레이어의 트롤링(trolling)이 가장 문제지만 통제 불가능한 변수에 매달려 봐야 의미 없는 일이다.

'일단은 실력이 문제고.'

블레이드&매직은 철저한 실력 겜으로 동일한 스텟으로 시작하게 되지만 실력은 동일하지 않다.

똑같이 스펙이라도 한 명이 고수라면 여럿을 제압하는 것 역시 얼마든지 가능한 일이기 때문이다.

그가 확실히 2인분, 혹은 3인분을 할 수 있다면 한 명의 트롤링이 뭐 그리 큰 문제겠는가?

'그리고 죽을 수가 없다는 게 문제야. 아까도…… 한 명이 게임을 던졌지만 내가 몸 날려 한타를 이끌어 냈다면 이길 수 있는 순간들이 있었다.'

블레이드&매직 같은 AOS 게임은 플레이어의 죽음을 전제로 설계되어 있었기에 팀을 위해 죽어야 하는 순간이 반드시 나오는데 금낭은 그 순간마다 몸을 뺄 수밖에 없다.

그에게 죽음은 인생의 끝.

다른 플레이어처럼 팀을 위해 목숨을 버리는 플레이를 하는 것이 불가능하다.

만일 한재연이 넘겨 준 센티넬 클래스의 특성, [제국의 감시자]가 없었다면 라인전도 제대로 하지 못해 아직도 브론즈에서 머물고 있었으리라.

"단장님. 시간입니다."

문을 열고 들어온 엘프 여전사. 청익의 말에 금낭이 건물 밖으로 나간다.

"저 사람이…… 그 해방군단의 단장인가?"

"정말 그 구원자가 맞나? 보통 사람처럼 보이는데……."

"콜록! 콜록! 정말, 정말 저 사람이 재앙을 막을 수 있는 건가?"

"불가능한 일이야. 고작 인간이 어떻게……."

"모르겠고 먹을 걸 줘…… 오면 준다고 했잖아……."

건물 밖에는 수백 명의 사람들이 모여 있다. 다만 정상적인 몰골은 아니다.

그들 중 태반이 넝마나 다름없는 옷을 걸치고 있고 절반 이상이 제대로 서지 못하고 비틀거린다. 머리가 뭉텅이로 빠진 이들이 많고 여기저기에서 구토를 하고 있는 이들이 있다. 전체적으로 육신이 쇄약해지고 피를 흘리는 이들도 있다.

'처참하군…….'

드워프들이 패권을 차지해 다른 모든 종족들을 노예로 부리고 있는 파라온 행성에도 몬스터는 나타났다.

등급이 낮아도 맹수에 맞먹고 등급이 높으면 대륙에도 몇 없다는 마스터급 전투력을 자랑하는 몬스터!

온갖 화기로 무장한 드워프들의 제국과 왕국들이었지만 그 무지막지한 재앙 앞에서는 버틸 수가 없었다.

수억이 넘는 사상자가 발생했고 수십 수백 개가 넘는 국가가 무너졌다. 토벌되어 사라지긴커녕 하루가 다르게 쌓여만 가는 몬스터 군단은 그 콧대 높던 드워프 국가들마저 공포에 이성을 잃게 만들고 말았다.

결국, 그들은 최후의 수단인 핵폭탄을 사용했으며.

그것이 사용된 지역들은 그들에게 버림받은 지역이나 드워프 왕국 중에서도 약소국이라고 할 수 있는 국가들이었다.

"……시작하지."

그렇게 선언한 후 작게 속삭인다.

"챔피언 로딩(Champion loading). 마나 약탈자. 켈가."

우우우웅---!

한순간 어떤 사내의 모습이 몸에 씌워지는가 싶더니 금낭의 전신에서 강력한 마력이 끓어오른다. 멀린에게 선물 받은 주문은 외부 에너지를 자체적으로 소화, 활용하는 경제적인 주문이었지만 반영구적으로 쓰기 위해서는 시동에 들어가는 마나는 항상 투입해 주어야 한다.

"발동."

촤라랑!

금낭의 머리 위로 그 크기가 10미터는 될 법한 입체마법진이 떠오른다. 이제 5클래스에 올라선 금낭의 지식으로는 감히 이해조차 할 수 없는 궁극마법(窮極魔法).

[재앙의 포식자.]

우웅---!

거대한 파동이 사방으로 퍼져 나간다. 온몸을 훑고 지나가는 진동에 피난민과 병자들이 흠칫 놀라 몸을 떤다.

그리고.

우우우---!

자그마한 입자들이 가깝게는 주변 사람으로부터, 멀게는 수 킬로미터 바깥에서부터 몰려들기 시작한다.

광범위하게 퍼져 있던 방사능이 한 곳에 집중되며 체렌코프 현상이 발생. 청색의 빛을 뿜어낸다. 그러나 재앙 포식자의 힘에 의해 방사능은 역장 안으로 들어올 수 있을 뿐 외부로 나가지 못했다.

띠디딕! 띠디딕!

방사능 측정기를 들고 있던 드워프 난민 중 몇이 비명 같은 신음을 내지른다.

"오, 오오 이럴 수가…… 저, 정말 측정값이 내려가고 있어."

"어찌 이런 일이……."

"이런 일이 물리적으로 가능하다고?"

멀린이 금낭에게 선물해 준 궁극마법은 2종이다. 그중 하나가 바로 주변의 방사능을 흡수해 잡아먹는 재앙의 포식자.

그리고 또 하나는 그렇게 흡수한 방사능을 흑연과 결합해 반영구적인 전지로 만드는 [다이아몬드 전지-진짜 최종2].

깊게 심호흡 한 금낭이 자신의 뒤에 도열되어 있던 군단원들을 향해 명령했다.

"자, 이제 빵들을 나눠 줘."

"네, 군단장님. 마법 빵 생산!"

"마법 빵 생산!"

"마법 빵 생산!"

금낭을 따라온 해방군단의 [플레이어]들이 마나 코인으로 구매한 주문을 발동하자 주변에 있던 풀, 나무, 심지어 동물이나 사람의 시체가 산산이 흩어지며 뜨거운 김이 모락모락 피어오르는 빵이 되었다.

그뿐이 아니다.

"큐어!"

"큐어!"

"큐어!"

모여 있던 심각한 환자들에게 상태 회복 주문이 쏟아진다. 방사능에 찌들어 죽어 가던 환자들의 눈이 떠진다.

"오오! 신이여…… 구원자시여!"

"해방군단장 만세! 해방군단이여, 영원하라……!"

그 기적 같은 광경에 모두가 경악해 소리쳤지만 금낭은 적당히 손을 들어 답하고 넘어갔다. 그들은 지금 이 광경이 처음이겠지만 그는 이미 열 번도 넘게 한 일이다.

"후우……."

지독한 탈력감이 그의 온몸을 휘돈다. 한계까지 마나를 소모했기 때문이다.

'이래서 골드 랭크가 되고 하고 싶었는데.'

"구원자! 구원자 금낭!"

"위대한 영웅! 신인이시여!"

"해방군단장!"

사람들이 그를 칭송하기 시작한다. 티끌만 한 희망에 기대 그를 찾아온 난민들 앞에서 이 엄청난 이적을 일으켰으니 그들이 어찌 보이겠는가?

그러나 금낭은 쓰게 웃었다.

'신인(神人)이라니.'

그러나 그는 알고 있다.

'우물 안 개구리지.'

블레이드&매직에서 온갖 플레이어들을 본, 그리고 무엇보다 한재연과 멀린을 본 그는 대우주의 드넓음과 그 드넓은 대우주를 노니는 초월자들의 존재를 알고 있었다.

"음?"

그때 그의 [채널]에 뭔가가 도착했다. 그는 가볍게 눈을 감았다 뜨는 것만으로 그것을 현실로 꺼냈다.

그것은 한 장의 카드 덱.

그 위에는 한 줄의 텍스트가 쓰여 있다.

[너 베타테스터로 뽑힘. 빨리 좀 강해져라. - 멀린]

"하하."

무겁던 표정의 금낭이 실없이 웃는다. 그는 고개를 들어 하늘을, 그리고 그 너머의 우주를 보았다.

"그래, 강해져야죠."

그의 눈이 결연한 의지로 빛난다.

"반드시."

재연의 뜨겁고 강렬한.

14박 15일의 중간 즈음에 일어난 일이었다.

* * *

문이 열리고 치즈색 고양이가 헐레벌떡 달려온다.

녀석은 내 앞에 탁 서서 동그란 눈으로 나를 올려다보았다.

"폐하! 작업 다 끝냈는데 인터넷 해도 되나요?"

두근거리는 표정의 하모니를 보니, 절로 드는 생각이 있었다.

'이 녀석…….'

나는 그녀에게 이곳이 아르데니아의 바깥세상이며 아르데니아에서는 존재할 수 없는 중급, 상급, 최상급 신들이 존재하는 세상이라는 걸 알려 주었다.

아르데니아 정도의 대륙은 수백 수천억 개도 넘게 존재하는 대우주(大宇宙)!

심지어 아르데니아가 34지구의 게임, 리벤지를 본떠 만들어졌다는 것도 알려 주었다.

인터넷을 뒤지다 우연히 알게 되는 것보다 차라리 먼저 알려 주는 게 낫다고 판단했기 때문이다.

그리고.

하모니는 그것을 받아들였다.

'멘탈이나 적응력이 탈인간 수준이네 진짜.'

솔직히 이 정도면 충격적인 진실 아닌가? 특히나 아르데니아 출신인 하모니 입장에서 보면 이건 세상이 무너질 정도로 충격적인 사실이다.

지금까지 자신이 살아온 공간이 누군가가 만든 가상의 설정인데 어찌 안 그럴 수가 있는가?

하모니는 안 그랬다.

그녀는 매우 크게 놀라기는 했지만 빠르게 현실을 받아들이고 자신이 할 수 있는 일, 그리고 하고 싶은 일을 찾아낸 것!

난 내심을 숨긴 채 웃었다.

“야, 너 인터넷 중독이다 중독.”

“하루 24시간 중 21시간 일하고 3시간밖에 못하는데요! 노동청에 신고하면 정의신의 신관들이 잡아 갈 거예요!”

“뭐라고? 불법 체류자가 하는 말이라 잘 안 들리는데. 그리고 하루 24시간도 여기 기준이지 7시간마다 아르데니아로 가고 있잖아?”

“거기는 인터넷이 안 된다고요! 체험할 수 있는 문화의 수준 자체가 다른 데다 절 기다리는 시청자…… 야옹! 어? 뭐지? 야옹! 야옹! 어어? 야옹!”

종알대던 하모니가 당혹스러운 목소리를 낸다. 나는 상황을 파악하고는 그녀의 코를 눌렀다.

“여보세요.”

“택배입니다. 한재연 씨가 맞으신가요?”

기다리고 있던 난 반색하며 벌떡 일어났다.

“아! 네! 좌표 열어 놨습니다.”

“그럼 준비해서 들어가겠습니다.”

통화가 끝난다. 하모니가 황당해 한다.

“뭐예요. 저 여전히 전화기인 거예요?”

“급하게 바꿀 필요 없잖아. 이제 후임 왔으니 걱정할

필요 없어.”

“아니…….”

버벅거리는 하모니를 두고 응접실로 이동한다.

이번에 구매한 스마트 펫은 받아서 인증만 하면 끝이었던 체다와는 경우가 다르다. 군용으로 제작된 510억 짜리 최신형 스마트 펫이 어찌 같을 수 있겠는가?

절차대로라면 내가 직접 마탑으로 찾아가 수령해야 하는데 초월자 프리미엄으로 주어진 VVIP 서비스에 의해 배송이 온 것이다.

[외부 좌표와 연결되었습니다. 진입이 시작됩니다.]

안내음에 하모니가 입을 삐죽인다.

“전 들어가 있을게요.”

“그래 잘 놀고.”

웅!

하모니가 다른 층으로 이동했을쯤 응접실 한가운데로 여러 가지 공구가 달려 있는 작업복을 입은 사내가 모습을 드러낸다. 그의 뒤에는 자기 덩치보다 커다란 가방을 멘 거인이 있었다.

‘엥? 기가스? 배송에 기가스를 쓰다니…….’

물론 신, 별, 사람, 짐승, 기계(神星人獸器)의 기가스 등급 중 최하위인 기급이지만 아이언 하트까지 단 정식 판으로 보인다. 심지어 인챈트를 얼마나 많이 한 건지 느껴지는 힘이 상당하다.

"와! 실내에서 소환할 수 있다더니 진짜구나. 빌딩인 거 같은데 층고가 15미터?"

모습을 드러낸 사내가 놀랍다는 듯 중얼거린다. 그런데 어째서인지, 그의 얼굴이 매우 익숙하다.

'뭐지? 유명인인가? 아니 유명인이 택배 배달을 올 리가 없는데. 아니면 지인? 친척?'

이럴 때가 종종 있다. 아르데니아에서 보내는 시간이 터무니없이 길어져 34지구에서는 보름 전에 만난 사람이 내게는 몇 년 전, 심하면 십수 년 전의 인연이 되기 때문.

다행히 내 기억력이 나쁜 편이 아니라 이내 녀석의 이름을 떠올릴 수 있었다.

"세한! 너 세한이니?"

"하하하! 강철거인 마탑의 새로운 파도! 지난달에 5클래스에 도달한 천재 마법사 한세한입니다!"

녀석은 내가 편의점 알바를 할 때 전타임을 뛰었던 알바생이었다. 싹싹하고 성격도 좋아 나와도 제법 친했던 녀석이다.

나는 녀석의 어깨를 치며 웃었다.

"와! 이 자식 4클래스 찍은 지 얼마나 되었다고 벌써 5클래스야?"

"아니 그게 형이 할 소리예요? 물론 열심히하시는 거야 알고 있었지만 아무리 그래도 초월자라뇨! 형이 뉴스에 나올 때마다 무슨 몰카 하는 줄 알았어요!"

세한이 녀석은 내 앞에서도 별로 주눅이 드는 기색이 없었다. 하기야 25살에 5클래스 상위 마법사라면 수준 높기로 유명한 34지구의 마법사 중에서도 0.01% 안쪽의 천재다.

'0.01%라고 해도 55만 명이나 되겠지만.'

그러나 녀석에게 제대로 된 스승도, 후원해 줄 가문도 없었다는 걸 생각하면 실로 놀라운 결과.

실제로 녀석의 얼굴에는 스스로의 힘으로 돈을 벌고 공부해 원하던 목표를 달성했다는 자부심이 담겨 있다.

"하하! 주력이라고 하면 차크라인데……."

"아니 글쎄 제가 만든 극소 마법진이……."

우리는 응접실의 테이블에 앉아 한참을 떠들었다. 예전이라면 있을 수 없는 일이다. 34지구에서의 내 일정은 너무나 바빠서 밥조차 아르데니아로 넘어가 먹기 일쑤였으니까.

그러나 이제는 아니다.

나는 이제 지구에서도 쉬는 일이 많았고, 심지어 영화를 보거나 게임을 하는 것으로 소일하기도 했다.

결국 거의 몇 시간이고 떠들고서야 본론이 나온다.

"그나저나 내 스마트 펫을 강철거인 마탑에서 만든 거야?"

내 물음에 장시간의 대화로 제법 편해진 말투로 세한이 설명한다.

"강철계의 아이언 팩토리에서 생산된 하드웨어에 우리

가 주문을 입힌 거지. 간만에 큰 건이라 탑주님을 비롯해 마탑원 대부분이 철야를 했다니까! 중요 스펠들이야 다 있어도 그걸 커스텀대로 짜는 건 보통 일이 아니라서."

그렇게 말한 세한이 손을 휘두른다. 가벼운 소매틱에 마력이 반응하고 응접실 한편에서 가만히 대기하고 있던 거인이 등에 메고 있던 가방을 바닥에 쏟아 낸다.

좌르륵!

액화된 금속이 마치 슬라임처럼 바닥에 쏟아진다. 그것은 바닥에서 쇳소리를 내더니 이내 높이가 8미터가 넘는 거대한 구조물로 변했다.

우웅-!

이내 구조물에서 강대한 마력이 뿜어지자 공간이 갈라지고-

팟!

그 안에서 커다란 덩치의 백호(白虎)가 모습을 드러낸다.

"초월급 스마트 펫. 레전드 타이거 B타입이야. 주재료는 오리하르콘이고 슈퍼 미스릴을 이용한 매직 스토어가 장착되어 있어. 마나 배터리는 무려 드래곤 하트 조각을 가공해 만들어졌고 무엇보다 시간당 10만 포인트의 뇌전 마나를 생산해 내는 라이트닝 하트가 있지. 용신족의 수염을 모방해 만든 체모는 극강의 방어력과 항마력을 가지고 있는데 이게 정말 놀라운 건 최신 기술 아스트랄 네트워크에 접속할 수 있는 특수 단자의 증폭기 역할도 한다는 거야! 내장한 저장 공간은 즉발식 인벤토리가 15킬로그램. 오픈식 인벤토리가 2톤이야! 이 모든 기능을 하나로 엮어 내는 술식무장 [레전드 타이거]에 들어가는 게 럴트가 100만 포인트나 되지!"

세한이 잔뜩 흥분해 주르륵 늘어놓는다. 녀석이 황홀한 표정으로 백호를 보고 있다.

나는 고개를 끄덕였다.

"멋지네."

"그렇지? 이건 진짜 명작이야. 당장 전쟁터에 끌고 가도, 저 우주 변방에 고립되어도 이 녀석만 있으면 어떻게든 수가 나올 정도야. 형이 34지구의 초월자니까 이 가격에 살 수 있는 거지 외부에 팔 때에는 1,500억은 된다고 하더라고! 게다가 형이 끌고 다닐 거라고 하니까 학장님이 예산을 더 써서 출력을 10%나 더 올리고 안정성을 높이는 궁극마법을 8개나 더 걸었어."

터벅.

구조물 안쪽에 서 있던 백호가 성큼 걸어 밖으로 나온다.

체장이 5미터 10센티, 체고는 170센티나 된다. 어지간한 호랑이보다 훨씬 커 타고 다닐 수도 있을 정도!

'와. 짐작은 했지만 진짜 크군.'

이 녀석을 끌고 다니려면 대중교통은 포기해야 할 정도다. 500억 짜리 스마트 펫을 살 수 있는 사람이 대중교통을 타고 다닐 리야 있겠냐만.

"중량 5.3톤이던데 불편함은 없겠어?"

"왜 안 묻나 했어."

씩 웃은 세한이 휘익 하고 휘파람을 불자 백호가 응접실 한편에 있던 대나무를 타고 올라갔다. 난데없는 재난에 대나무가 훅 휘었지만, 놀랍게도 그 커다란 덩치가 올라가 있음에도 결국 부러지지 않았다.

"중력 제어 기능이 담겨 있어. 그뿐이 아니지."

웅!

어지간한 소형차만 하던 백호가 한순간에 고양이 크기로 변한다.

"소형화. 다만 이건 어쩔 수 없을 때만 써 줘. 이건 일종의 안전모드라서 기능의 대부분이 잠기거든. 에너지 소모도 너무 커서 저 상태에서는 배터리가 완충되는 데 200시간이나 걸려. 인급 라이트닝 하트라면 이야기가 다르겠지만 그건 배보다 배꼽이라."

나는 세한의 도움으로 백호에 사용자 등록을 했다. 군용이었기에 체다 때보다 훨씬 복잡한 과정.

세한은 모든 과정을 마치고 손을 흔들었다.

"오랜만에 봐서 좋았어! 언제 한번 같이 밥이나 먹자!"

"그래. 나도 반가웠다."

녀석을 내보내자 응접실 문이 열리며 하모니가 들어온다.

"그게 새로운 스마트 펫이에요? 엄청 크네요……."

"비싼 녀석이지. 흠. 말 나온 김에 한 번 깃들어 볼래?"

"네? 너무 크고 안 귀여운데……."

하모니는 아무래도 내키지 않는 모양이었지만 내가 고개를 까닥이자 두 눈을 감았다.

그리고.

"어! 됐."

팟!

잠시 성공하나 싶더니 삽시간에 체다의 몸으로 돌아온다.

"실패야?"

"네."

"똑같은 스마트 펫인데 왜지? 설마 항마력 때문인가?"

하긴 잘 생각해 보면 일반형인 체다와 군용인 백호는 저항력의 수준이 다르다. 궁극마법을 때려도 버틸 녀석인데 쉽게 빙의 될 수는 없는 게 오히려 당연한 일.

그러나 하모니의 의견은 달랐다.

"아뇨 잠시 성공했었어요. 중요한 건 항마력이나 뭐 그런 게 아니라…… 폐하의 '소유'이냐, 아니냐 하는 문제인 모양이에요."

"그럼 왜 튕겨 나온 거야? 이건 확실하게 내 건데."

무려 500억이나 주고 산 내 물건!

하모니가 설명한다.

"뭔가…… 시간이 모자란 것 같아요. 친밀도? 소유율? 정확히 어떤 느낌인지 설명하기 어려운데……."

"쉽게 말해 좀 더 오래 데리고 다녀야 한다는 건가."

고개를 끄덕인다. 어차피 급한 문제는 아니었다. 하모니는 체다의 몸이 가진 기능조차 제대로 쓰지 못하는 상황이 아닌가? 스마트 펫 주제에 전화도 못 걸 정도인데 백호의 몸을 차지해 봐야 기능 중 태반을 못 쓰게 될 것이다.

"크르르르……."

그때 백호가 낮게 으르렁거린다. 묵직한 저주파에 하모니가 깜짝 놀란다.

"폐, 폐하! 저 녀석이!"

호들갑 떠는 하모니를 무시하고 백호의 코를 누른다.

"여보세요?"

"아 형! 깜빡하고 말 안 했는데 지금부터 12시간 동안은 레전드 타이거를 전투에 쓰시면 안 돼요! 이왕이면 가만히 둬서 라이트닝 하트에서 생산된 마나가 배터리를 완충하고 모든 부품과 술식무장을 완전 활성화시키게 두는 게 좋아요."

"뭐 어려울 거 없지. 내가 싸울 일이 뭐 있겠어?"

내 말에 백호의 표정이 묘해진다. 아무래도 건너편의 사람을 모사하는 듯하다.

"엥? 싸우지 않을 거면 왜 군용 스마트 펫을 사요?"

황당해 하던 목소리가 이내 잦아든다.

"아…… 갑자기 몬스터가 사라지는 거 때문에 그렇겠구나. 갑자기 일이 사라졌을 테니."

'몬스터가 사라져?'

이해할 수 없는 말. 그러나 내가 되묻기도 전에 세한이 알아서 납득하고 말한다.

"하여튼 12시간은 그냥 둬요! 마탑 평가는 무조건 5점 주시고요! 그럼!"

"통화가 종료되었습니다."

나는 입을 다문 백호를 잠시 바라보았다.

"……몬스터가 사라지다니 이게 뭔 말이야?"

나는 즉시 백호의 옆구리를 터치했다. 털들이 좌르륵 늘어서며 커다란 디스플레이가 되었다.

체다 때와는 비교조차 할 수 없는 크기의 디스플레이를 터치해 뉴스들을 확인한다.

[멈춰 버린 몬스터 등장? 조사 결과 전 우주적인 현상.]

[있던 몬스터도 하나둘 사라져 간다? 스피커 언론사 曰 '소멸이 아니라 숨어드는 것.']

[습격을 멈추고 지성체를 피하기 시작한 몬스터. 그 이유는?]

뉴스들을 둘러보니 이틀 전부터 몬스터의 등장과 습격이 완전히 멈춰 버렸다고 한다.

"……뭐지?"

이해할 수 없는 일이다. 물론 몬스터가 나오든 나오지 않든 34지구는 평안하겠지만…… 몬스터를 만들어 내는 [그녀]의 목적이 전혀 달성되지 않았는데 습격이 멈춘다는 건 이해할 수 없는 일이다.

"설마, 황제 클래스 제작에 들어갔나?"

그런 무서운 생각이 들었지만 이내 고개를 흔들었다. 게임 속 세상에서조차 중급 초월자를 만들지 못하는데 어찌 현실에서 그런 일이 가능하겠는가?

하지만 현실에서의 습격이 멈춘 게 사실이라면.

"뭐지? 대체……."

눈을 가늘게 뜬다.

경제적 자유를 얻어 평온해진 내 삶과 상관없이, 내 인지 밖에서 큰 수레바퀴가 굴러 가는 기분이었다.

물론 그게 불안하다는 말은 아니다.

'34지구에 무슨 일이 일어나지는 않을 테니까.'

그 어떤 '변수'가 덮쳐 온다 하더라도 34지구가 잘못될 일은 없다.

거주 구역에 무려 11마리의 초월급 몬스터가 기습적으로 나타났을 때에도 고작 3분 만에 모두 처리했던 34지구가 아니던가?

심지어 지금은 몬스터들의 등장 패턴을 파악하여 몬스터들의 리젠 위치를 조정할 수 있게 된 상황.

이러니 저러니 해도 군에 적을 두지 않은 난 참여하지 않았지만, 원래 34지구에 나타나야 할 몬스터들은 죄다 강철계의 [배틀 스테이지]로 유도되어 2군단과 기계화 사단에 사냥 당하던 상황이다.

내가 한국 정부에게 구매한 드랍 아이템들 중 상당수가

바로 그것이 아니던가?

'극단적으로 말해……. 우주가 멸망하지 않는 이상 34지구가 위험할 일은 없다.'

물론, 그렇다고 긴장을 아예 풀진 않았다.

무엇보다 당장의 나와 연관된 일도 있었으니까.

'그 이름도 모를 전략 시뮬레이션 게임을 클리어 해 놔야겠다.'

인간, 초능력을 주로 다루는 외계 지성체, 생체력을 기반으로 하는 괴물.

그리고 그 모든 특징을 하나로 모은 종족 네 개가 존재하는 전략 시뮬레이션 게임은 34지구의 정보를 아무리 뒤져 봐도 정체를 알 수가 없다.

녀석들이 사용하는 어휘나 디자인들을 보아 멸망한 지구에서 생산된 것 같은데 이렇게 정보가 없다는 것은 그것이 멸망한 지구 중 하나에서 만들어진 게임이라는 뜻이다.

원래 지구는 100개나 있었지만 대전쟁, 다수의 재앙, 그리고 이번 몬스터 사태 등으로 멸망한 경우도 꽤 많으니 충분히 있을 수 있는 일이다.

'멀리 갈 것도 없이 아버지와 어머니가 살던 98지구부터가 그 경우지.'

그리고 그렇다면 게임 자료를 찾는 건 쓸데없는 짓이다. 내가 아니더라도 몬스터 사태에 대응하는 전문가들이 정보를 모으고 있을 테니 나중에 그 과실만 챙기는 게

현명한 선택이리라.

게다가 꼭 게임 정보가 있어야 그 게임을 클리어 할 수 있는 건 아니다.

'일단 내가 넘어가면…… 다 개판 칠 수 있다.'

전략 시뮬레이션 출신의 몬스터들이 온갖 수단을 다 써서 아르데니아를 공격하고 있지만 최근 들어서는 단 1명의 사상자도 나오지 않는다.

이는 인류제국의 방비가 과거보다 더욱 튼튼해졌고, 플레이어들의 수준이 더 높아졌으며, 지하대로 대신 도시마다 연결되었기 때문이기도 하지만.

'사실 전적으로 내 덕이지.'

지금의 내 전투력은 너무나 강력해 고작 대륙 하나 커버 하는 일 따위는 숨 쉬듯 간단하다.

특히나 올 마스터의 특성은 [만능]에 가까워서 툭하면 핵폭탄을 갈겨 대는 인간 진형이나 정신 공격을 가해 오는 외계종, 온갖 방식으로 진화한 괴물과 그 모든 특징이 섞여 있는 혼종이 가하는 온갖 전략을 다 박살 낼 수 있었다.

그나마 이것도 아르데니아 대륙을 지키며 한 일인데 심지어 적진에 잠입할 수 있다면?

농담이 아니라 길어도 일주일이다. 전에 만났던 초월급 몬스터 11마리 중 어떤 녀석이 저 게임의 보스인지는 몰라도 올 마스터를 얻은 지금의 난 대면 즉시 살해가 가능하다.

"그러니까 가기만 하면 되는데 갈 수가 없다는 말이지."

저쪽에서는 게이트를 열어 넘어오는데 내 쪽에서 넘어가는 건 불가능하다. 차원을 찢고 밖으로 나가 봐야 도달하는 곳은 내 내면세계일 뿐.

다행히 내게는 조언을 얻을 상대가 있었다.

"하양."

"크르르."

내 부름을 들은 백호 하양이가 슬그머니 다가와 그 큼직한 옆구리를 내민다. 줄무늬 털을 툭툭 치자 디스플레이가 켜지며 자동사냥을 하고 있는 킬리언스가 나타났다.

콰콰쾅!

신화 클래스, 차원 방랑자를 장비하고 있는 킬리언스가 몬스터를 몰이사냥 하고 있다. 최고 등급의 사냥터였지만 다른 플레이어들은 감히 근처에도 다가오지 못한다.

컬렉션 100%의 미친 과금러 킬리언스는 사실상 리벤지 최강의 캐릭터.

어디 그뿐인가?

'그 캐릭터의 주인은 트리플의 초월자지.'

함부로 와서 공격하기엔 너무나 거물. 나는 화면을 터치해 사냥을 종료한 후 인벤토리를 열어 귀환 스크롤을 사용했다.

팟!

도시로 돌아온다. 역시나 도시에는 사람이 가득했다.

"격세지감이네 진짜. 그 큰 도시가 맨날 꽉 차 있다니……."

기막혀 하며 도시를 둘러본다. 누더기를 입은, 거기에서 벗어났어도 기껏해야 일반, 고급 장비를 걸치고 있는 수많은 플레이어들이 보인다.

잔인한 말이지만 그들의 존재 덕분에 희귀, 영웅, 전설 등급의 장비를 걸친 플레이어들이 더욱더 돋보인다. 리벤지의 시스템 자체는 그리 크게 변하지 않았음에도 34 지구의 플레이어가 대폭 늘어난 이유기도 했다.

"그나저나 하위 문명의 플레이어가 점점 늘어나네."

도시 한편의 간이 커피숍에 서서 음료를 마시는 사람들을 본다. 최초 복장인 누더기에서 벗어났지만 여전히 추레한 유니폼을 입은 플레이어들.

레나 : 하…… 이 핫 초콜렛 너무 맛있어요. 마나 정형을 하면 음료랑 간식을 무제한으로 먹을 수 있다니…… 잘은 모르는데 이게 바로 직원 복지라는 거래요.

하인 : 여기에서 일하게 되면서 동생들을 굶기지 않을 수 있게 되었지만…… 이 맛있는 음식들을 줄 수 없는 게 너무 아쉬워요.

그들은 리벤지를 [플레이]하는 플레이어가 아니다. 그들에게 리벤지는 일종의 일터고 로그인은 출근인 것. 때문에 플레이어들은 그들을 워커(Worker)라고 불렀다.

물론 모든 뉴비들이 워커인 것은 아니다.

토마스 : 단검 고블린 숲 가실 분 모집합니다! 실전을 겪으면서 돈도 벌 수 있습니다!

알튼 : 일반 스킬 방패막기를 익혔습니다! 힐링 스킬을 배우신 힐러분 구합니다!

어떻게든 아바타 캐릭터를 이끌고 사냥을 나가려는 이들.

김일환 : 혹시 들개굴에 데려다 주실 플레이어 분 있으신가요?

마오이 : 고급 아이템 지원 부탁드립니다! 도와주시는 분은 삼생의 복을 받으실 겁니다!

무턱대고 기존의 플레이어들에게 도움을 부탁하는 이들.

고라니숏 : 뉴비들아 일단 매직 미사일부터 전문화해야지!

루 에티 파룸 : 하지만 마법사님. 이 애플렘 법칙이라는 게 도저히 이해가 안갑니다. 그냥 마력 강화로 싸우면 안 될까요?

고라니숏 : 당연히 안 되지! 너희한테 전투 기여도를 주려면 원거리 공격 기술이 있어야 해! 일단 레벨을 20은 찍어야 뭘 해도 할 수 있는데 그 실력으로는 그냥 죽는다니까?

심심한 34지구의 플레이어에게 가르침을 받는 이들.

김창식 : 이곳의 모든 것은 사탄의 눈속임이며 유혹에 불과하다! 사악한 악마들아! 유혹에 빠지지도 몸담지도 말고 회개하라!

분식집 주인 : 분식집에서 회계 하면 분식회계

김창식 : ?

새로운 현실을 받아들이지 못하고 외면하는 사람들까지.

"혼란의 도가니네, 정말."

리벤지가 좋은 게임이냐 아니냐를 떠나서 누구라도 흥미를 가질 수밖에 없는 모습이다. 실제로 리벤지 안에서 방송을 하는 방송인이 예전과 비교도 할 수 없을 정도로 많이 늘었다.

잠깐 주변을 돌아보는 사이, 하나둘 플레이어들의 시선이 나에게 모이기 시작한다.

기립 : 킬리언스…… 아! 한재연 님이다! 와 저거 봐. 저게 그 신규 클래스 차원방랑자지?

알릭스 : 저 지팡이도 신화 장비네. 으으 저거 하나만 있으면 소원이 없겠다.

과금하는아씨 : 저 캐릭 하나에 대체 얼마냐? 무시무시하네, 진짜.

수군거리는 유저들의 모습은 이미 익숙한 것.

무시하고 인벤토리를 정리할 때였다.

[모두 칭송하십시오. 29번째 신화가 지금 이 자리에 탄생하였습니다.]

[그의 이름은 무적철인.]

[지금 이 시간 부로 24시간 동안 모든 사냥터에 경험치 100퍼센트 버프가 주어집니다.]

[다시 한번 안내 드립니다. 29번째 신화가 지금 이 자리에 탄생하였습니다.]

느닷없이 떠오르는 전체 공지에 사람들이 멈칫한다.

기립 : 무적철인이 누구야? 저런 플레이어가 있었나?

알릭스 : 아니, 29번째는 또 뭐야 미친. 원래 신화 클래스는 화점 성주만 합성할 수 있는 거잖아…… 게임사에서 8명. 많아 봐야 9명이라고 가정하고 만든 시스템인데…….

포세이돈 : 뭘 이제와 새삼스럽게. 요새 트랜드는 상급 클래스 카드 100억치 사서 신화 찍는 거자너.

알릭스 : 그러니까! 아니 이게 맞어? 100억 들여서 클래스 카드 뽑는 게 맞냐구! 심지어 클래스 카드를 뽑고 나면…….

[번개의 왕. 하늘을 가르는 천둥.]
[뇌신이시여. 벼락의 새여.]
[뇌신조 썬더버드(신화)]

알릭스 : 뽑고 나면…… 신화급 펫이랑 신화급 수호령도 뽑잖아…….
포세이돈 : 와 진짜 연속으로 뽑는 거? 신규 유저가?

기막혀 하는 사람들. 그러나 그게 끝이 아니었다.

[신화의 위대한 조각이 완성되었나니.]
[이는 세상과 맞먹을 위상(位相)이라.]
[무적철인 님께서 판금갑주. 천상의 성벽(신화)+9을 완성하셨습니다!]

알릭스 : 아니 이게 무슨.
기립 : 장비 뽑기도 앉은 자리에서 한다고?

[신화의 위대한 조각이 완성되었나니.]
[이는 세상과 맞먹을 위상(位相)이라.]

[무적철인 님께서 판금투구. 천상의 시야(신화)+9을 완성하셨습니다!]

일성의노예 : 아니 이게 뭐야? 이게 말이 돼? 이게 말이 되냐고? 지가 무슨 일성 회장이야?

알릭스 : 미친…….

기립 : 와 이거 어디서 뽑고 있는 거냐? 구경 가자!

호들갑 떠는 플레이어들의 모습은 나로서는 익숙한 종류다.

'내가 클래스 뽑기를 할 때에도 사람들이 저랬지.'

다른 게 있다면 나는 이미 이 게임의 고인물 취급이고 지금 폭풍 과금을 하는 건 뉴비라는 정도겠지.

가만히 화면을 바라보다 보니 문득 헛웃음이 흘러나온다.

"잘나가네……."

리벤지가 대규모로 받아들인 유저 대부분이 단돈 만 원도 과금하지 못하는, 일견 쓸모없이 서버 부하만 늘리는 짐 덩어리로 보일 수 있지만 그들의 존재 자체가 거대한 목초지가 되어 과금러라는 흑우들이 모이는 [환경]을 만든다.

지금 폭풍 과금을 하고 있는 뉴비 또한 이런 환경이 불러들인 존재일 것이다.

고작 게임 접속으로 온 우주의 사람들과 만날 수 있다는 건 결코 가볍지 않기 때문이다.

'당장 저것만 해도 그렇지.'

[우주를 선도해 나갑니다. 일성 전자.]
[무적의 기가스. 무적의 기업. 환웅 컴퍼니]

여기저기 서 있는 빌딩들에 붙어 있는 광고들이다. 현실에서나 볼법한 광고판들이 게임 속 도시에 잔뜩 달려 있다는 건 여기가 단순한 과금 게임이 아니게 되었다는 증거라 할 수 있을 것이다.

"뭐 어쨌든."

나는 도시의 모습을 잠시 둘러보다가 친구창을 켰다.

킬리언스(귓속말) : 멀린. 보면 대답해 줘요.

당장 대답하리라고는 생각하지 않았다. 리벤지는 보통 자동 사냥을 돌리는 게임이기 때문.

그러나 바로 답변이 돌아온다.

엠리스(귓속말) : 킬리언스, 한재연. 확인했습니다. 무슨 질문이 있으십니까?

킬리언스(귓속말) : ? 멀린 맞아요?

엠리스(귓속말) : 비서 인격 엠리스입니다. 주인님은 일이 바빠서 저에게 캐릭터 육성을 맡기셨습니다.

"아니, 무슨……."

네메시스가 알면 기함할 일이다. 리벤지는 가뜩이나 자동 사냥 게임이라 오토를 돌리게 되면 게임 자체가 무의미해지기 때문이다.

'어지간한 은행급 보안 시스템을 내장하고 있을 텐데.'

그러나 잘 생각해 보면 이제 와 그가 이 정도 해킹을 하는 걸 신기해할 필요는 없으리라.

킬리언스(귓속말) : 흠. 질문이 있어서 그런데 언제 대화가 가능할까요?

엠리스(귓속말) : 확언드릴 수 없습니다. 다만 남기신 말이 있습니다.

킬리언스(귓속말) : 확인 가능할까요?

엠리스(귓속말) : 권능 스텟을 습득한 것을 감지했다. 게임 시스템으로 얻은 모양이지만 그것도 우주 전체에 정보가 퍼지더라. 심지어 두 개나 되니 재수 없으면 황제 클래스들이 관심 가질 수 있다. 수련을 위해 업적을 세우고 싶겠지만 가급적 몸조심하길. 이상입니다.

"아, 역시 비밀이 없나."

세상에 온갖 희귀 망측한 관측 능력이 많은 걸 알고 있었지만 황제 클래스가 된 것도 아니고 권능 스텟을 얻은 것만으로 우주 전체에 정보가 퍼지다니.

다만, 기묘한 소리가 있었다.

킬리언스(귓속말) : 수련을 위해 업적을 세운다는 게 뭡니까?

엠리스(귓속말) : 질문을 이해할 수 없습니다. 업적작 자체에 대한 정의가 필요하십니까?

킬리언스(귓속말) : ……그래, 필요합니다.

말 그대로 이해할 수 없는 소리다. 현실에서 게임처럼 업적작을 할 수 있다니.

다행히 그녀는 바로 설명해 주었다.

엠리스(귓속말) : 한계를 돌파한 능력치. 즉, 권능 스텟은 단순한 수단으로는 단련할 수 없습니다. 초월지경과 초월 스텟은 전생에 쌓은 업이나 초월지경에 이르는 현생의 수련으로도 충당할 수 있지만, 중급 초월부터는 그것으로는 모자라기 때문입니다.

킬리언스(귓속말) : 그러니까, 그 단련 이상의 방법이 업적이다?

엠리스(귓속말) : 방법 중의 하나입니다.

'초월자들에 대한 정보가 널리 퍼진 34지구에서도 쉽게 접할 수 없는 정보다.'

하기야 아무리 대단한 34지구라 해도, 중급 초월자는 따로 없다.

굳이 꼽자면 정의신, 명예신, 진실신이 중급 신격인데

그들은 [사명]으로 자신의 힘을 한 단계 끌어올린 존재들이니 일반적인 황제 클래스와 비교하기 어렵다.

설명이 계속된다.

엘리스(귓속말) : 흔히 권능 스텟이라 불리는 것을 획득하거나, 단련하기 위해서는 관련된 거대한 업적이 필요합니다. 힘으로 하늘을 들어 올린 거신족. 스스로의 힘으로 죽음에서 돌아온 영웅. 신의 심장을 삼켜 그것을 흡수한 마법사 등이 이에 해당합니다. 이외에도 신을 죽이거나, 유혹하는 데 성공하거나, 우주 전체에 유의미한 영향을 줄 영능을 발명해 내거나 하는 일들이 여기에 속하죠.

그녀의 설명에 생각한다.

'그렇다는 건…… 내가 근력을 성장시킬 수 있었다는 건 단순히 차원을 잡아 늘리는 훈련 때문이 아니라는 말이군.'

내가 근력 1,000스텟을 찍을 수 있었던 것은 포인트 덕이지만, 1,001스텟을 찍은 건 오룡이에게 인자를 쏟아 낼 때마다 날아가는 근육을 회복시키던 과정이다.

그런데 그 근력의 상승이 [차원을 잡아 늘리는] 과정 때문이 아니라 [모든 도시를 연결하는 차원 게이트를 완성하는 업적]을 세웠기 때문일 수 있단 의미였다.

킬리언스(귓속말) : 방법 중의 하나라고 했는데, 다른 방

법은 뭡니까?

엠리스(귓속말) : 신성을 타고나면 됩니다.

"……방법이 아니잖아."

게임 마스터, 관대하의 경우다. 그는 마치 전설의 헤라클레스처럼 신과 인간 사이에서 태어난 반신반인(半神半人). 태어날 때부터 신성(神聖)을 품고 있으니, 이미 존재 자체가 권능의 영역이었다.

엠리스(귓속말) : 그 외에도 신에게 신성을 물려받거나, 조 단위의 게럴트를 육화(肉化)하는 데 성공하는 방법도 있습니다.

"아니 여기서 또 돈 이야기가……."

1조 게럴트만 해도 3,000조 원.

최소가 3,000조면 농담이 아니라 경(京) 단위가 필요할 수도 있다는 이야기다. 황제 클래스쯤 되면 그 정도의 재화가 있어야 뭔가를 시도할 수 있다는 뜻.

심지어 저 육화라는 게 100% 성공한다고 보장할 사람도 없으니 게럴트로 권능 스텟을 얻는 경우는 극히 드물다 할 수 있으리라.

'아니, 잠깐.'

그런데 문득 드는 생각이 있었다.

'그렇다면…… 내가 체력 권능 스텟을 완성한 건 어떻

게 가능했지? 14박 15일이 그 정도의 업적이라고?'

물론 그녀들과의 관계는 보통 일이 아니었다. 현실에서야 14박 15일이었을 뿐이지만 아르데니아에서는 무려 5년의 시간을 썼던 것이다.

그녀들에게 정을 토해 낼 때마다 내 근육은 20킬로그램씩 날아갔고, 나는 그렇게 날아간 근육을 복구하기 위해 5년의 시간 동안 매일 수천인분씩 음식을 집어 삼키며 차원을 잡아 늘리는 근력 운동을 해야만 했다.

그렇게 힘든 일이었지만.

'아무리 그래도 그게 정말 [우주적인 업적]씩이나 될 것 같지는 않은데.'

잘 납득이 안 가는 일이지만 내 입장에서 손해 될 일은 아니기에 넘어가기로 했다. 내가 권능 스텟을 얻은 걸 감지한 존재들이 있으니 처신에 주의하는 정도면 충분하리라.

킬리언스(귓속말) : 멀린 씨에게 침략 수단이 필요하다고 말을 전달해 주실 수 있나요?

엠리스(귓속말) : 침략 수단이 필요하다. 네. 전달하겠습니다.

그 말을 마지막으로 대화를 종료한다.

"흐음. 권능 스텟이라."

현재 나는 근력, 체력을 권능의 영역으로 끌어올렸으며

1,013포인트가 남아 있어 하나의 스텟을 추가로 개방할 수 있다.

'가장 끌리는 건 역시 생명력이지만…… 선구자의 가면 같은 부활 아이템이 있으니 좀 아깝다. 전투예지가 있으니 민첩에 넣기도 아쉽고.'

뭔가 부족한 스텟이 있으면 거기에 투자하는 식으로 했을 텐데 올 마스터를 얻으며 약점이랄 게 없는 상태가 되었다.

'차라리 근력에 더 넣을까?'

그렇게 고민하고 있을 때였다.

"크르르……."

하양이가 낮게 울며 내게 다가온다. 눈을 마주하자 낮은 남성의 목소리로 녀석이 말한다.

"네메시스 소프트의 배사랑 대표입니다."

"아, 사랑인가."

여러 가지 의미로 친분이 있는 사이지만 요새는 볼일이 없었다. 오룡이들이 묘하게 내가 나가는 걸 싫어하기도 했고 무엇보다 사랑이 너무나 바쁜 몸이었기 때문이다.

네메시스 소프트는 리전과 기술 교류를 진행하고 있으며 한국 정부와 계약해 아스트랄 네트워크를 완성했고 마나 코인을 개발해 특허를 따내기까지 했다.

과금 게임이나 만드는 돈에 미친 기업.

그런 이미지를 가지고 있던 네메시스를 대우주에서도 알아주는 34지구의 기업 중에서도 가장 혁신적인 기업으로 만든 게 바로 배사랑이라는 인물이다.

매년 발행되는 강철의 서에서 시대를 이끄는 100인에 뽑았을 정도니 더 말할 필요조차 없으리라.

"여보세요."

"아, 재연 씨. 오랜만이에요."

"정말 그러네요. 사랑 씨. 요새 바쁘실 텐데."

"하하. 미친 듯 일하고 있긴 해요."

어쩐 일인지 사랑은 조금 말을 더듬었지만 대화를 나눌수록 점점 여유를 되찾았다.

"협업한 곳이 많아서 보통 힘든 게 아니에요. 특히 아스트랄 네트워크의 경우는 한국 정부의 도움이 없으면 일이 진행이 안 되기도 하고."

앉은 자리에서 거의 1시간 넘게 대화를 나눈다. 예전의 나였으면 통화를 끊어 버렸을 정도로 긴 시간이었지만 지금의 나는 일에 쫓기지 않았기에 이런저런 근황을 말해 주었다.

그렇게 이야깃거리가 대충 떨어져 갈 때 즈음 사랑이 드디어 용건을 꺼낸다. 거대한 백호 하양이가 고개를 갸웃갸웃하며 말한다.

"저기…… 죄송하지만 다시 연구소 일을 도와주실 수 있나요? 신대륙하고 황제급 몬스터들을 마무리 지어야 해서. 페이는 섭섭지 않게 드릴게요."

"황제급 몬스터요?"

"네. 솔직히 올 마스터가 등장하려면 몇 년은 더 필요할 거라고 생각해서 개발을 서둘지 않고 있었는데 분위기가 이상해서요."

사랑의 말에 깜짝 놀란다.

"설마, 올 마스터가 나온다고요?"

올 마스터의 해금 조건은 리벤지에 존재하는 9개의 화점 중 절반 이상의 성주에게 지지받는 것이다.

솔직히 말하면, 거의 불가능한 일이다.

리벤지의 플레이어는, 특히나 화점의 성주는 일반적인 게임의 플레이어와 다르다.

'당장 내가 속한 [아레스] 길드의 길드 마스터만 해도 그렇지.'

길드 마스터 아레스의 본명은 김춘식.

정상급 배우로 여전히 활발하게 연기 활동을 하고 있는 그는 안양에 가문을 세운 어르신이다.

가문이 보유하고 있는 인급 기가스가 있을 정도니 세상 누구랑 마주해도 꿀릴 게 없는 위인으로, 젠틀하고 예의를 지키는 성향이지만 막나가려 들면 대통령하고 마주해도 '나이도 어린 게 먼저 인사해야지.'라고 말해도 이상할 게 없는 위치.

이처럼 화점의 성주쯤 되는 이들은 하나같이 슈퍼스타, 기업 대표, 고위 공무원 등의 사회 명사인데 그들에게 '올 마스터 포기하고 나 지지나 해 줘.'라는 요청이 먹힐 턱이 있겠는가?

차라리 공성전을 져서 뺏기면 뺏기는 거지 그냥 포기하

는 건 있을 수 없는 일!

"그게 참…… 그렇게 되었어요. 안 그럴 거 같던 인물이 껴서."

"아니, 설마 최배달 선생님이나 사자여왕님이 게임을 시작했나요?"

전 합참의장이자 월드 스타, 화랑단의 단장인 최배달이나 최강의 기간트 마스터(Gigant Master), 사자여왕 김소향 정도의 존재라면 어르신 중의 어르신으로 소집을 걸어도 전국의 어르신들이 다 모여야 할 정도니 올 마스터도 가능하긴 할 것이다.

화점의 성주들쯤 되면 돈이나 권력에 휘둘리지 않기 마련이지만…… 전란의 시대를 함께했던 지휘관들이 나서면 충분히 따를 법하다.

"아, 그, 자세한 이야기는 오면 해 드릴게요."

"네. 마침 별일이 없으니 바로 가죠."

"아! 네! 기다릴게요!"

통화를 끊고 욕실로 가서 씻는다. 마법진 위에 올라가 머리를 하고 플라워가 선물했던 양복을 입었다.

"크르르……."

그때 또 하양이가 낮게 울었다.

"음? 뭐야 통화는 아닌 거 같은데."

문자가 굳이 울리나? 하는 내 의문에 하양이가 답한다.

"알림이 도착했습니다. 택배 도착. 확인 부탁드립니다."

"택배?"

딱히 구매한 게 없어 의아해하고 있는데 문이 열리고 저 멀리서 체다. 아니, 하모니가 다다다 뛰어온다.

"와아! 도착이다!"

"아니, 너 설마 인세를 쓴 거야?"

어이가 없어 헛웃음 짓는다. 물론 작곡 문제 때문에 계좌도 하나 맡기긴 했지만 설마하니 그걸로 물건을 사다니?

내 표정을 본 하모니가 고개를 흔든다.

"오해세요! 제가 후원받은 돈으로 샀습니다!"

"아, 후원……."

그녀가 방송을 하는 걸 알고는 있었지만, 그냥 그러나 보다 하고 말았는데 그걸로 후원을 받아 물건까지 사다니.

중세시대 사람이라고는 도저히 믿을 수 없는 적응력이다.

파직! 지직.

하모니가 보호 주문과 포장지를 찢어 버리고는 그 안에 있던 물건을 꺼내든다. 하모니의 동그란 눈동자가 반짝인다.

"와! 잘 왔어요! 이 우아한 자태!"

"아니 뭘 샀나 했더니 마이크였…… 뭐!? 아크엔젤?"

절로 신음이 나온다. 왜냐하면 내가 아는 기종이었기 때문이다.

모를 수가 없다. 다른 누구도 아닌 오룡이들이 쓰는 물건이다.

"네! 완전 멋지죠? 5단계의 소통술식에 천상의 축복이 깃든 물건이에요!"

"아니, 이거 비쌀 텐데?"

마이크라고 우습게 볼일이 아니다. 애초에 오룡이들이 보통 물건을 쓸 일이 없지 않겠는가?

나는 하양이의 옆구리를 쳐 모델명을 확인했다.

'1억 8천만 원…….'

고작 손바닥만 한 마이크 주제에 믿을 수 없는 가격.

"후원으로 샀어요! 인세는 안 건드렸습니다!"

"아니, 무슨 후원이 벌써 억 단위로 들어와…… 게다가 여기 마이크가 얼마나 많은데 굳이 이걸 산 거야?"

드래곤 스타는 엔터 회사고 당연히 연습실이나 훈련장이 마련되어 있다. 마이크도 당연히 남아 있는데 굳이 자기 걸 사다니.

그러나 내 물음에 하모니가 항의한다.

"그것들은 인간형이라서 제가 제대로 쓸 수가 없어요. 제대로 된 인터넷 방송묘가 되려면 제대로 된 장비는 필수죠!"

"본격적이구먼……."

어이없어하며 마이크를 다시 보니 포장지에 [프라야나족 전용]이라는 글자가 쓰여 있다. 고양이용 마이크가 따로 있다는 사실에 의아했는데 초월종들을 위해 만들어진 물건인 모양이다.

"아, 그런데 폐하."

"흠. 그러고 보니 여기에서는 그렇게 부르지 않는 게 낫겠다. 다른 사람하고 만날 수도 있으니."

내 말에 하모니가 멈칫한다.

"그럼, 주인님?"

"……이름으로 불러."

"네. 재연 님. 저기 그런데."

잠시 머뭇한 하모니가 슬쩍 묻는다.

"혹시 에드워드도 저처럼 데려올 수 있을까요?"

"에드워드를?"

뜬금없다면 뜬금없는 소리, 그러나 어느 정도 생각하던 문제이기도 했다.

지금의 하모니 같은 사례가 과연 또 나올 수 있는가?

"어려울 텐데."

당장 하모니만 해도 신성 스텟이 권능의 영역으로 넘어갔기에 현실로, 그나마 육체는 못 오고 의식만 가져올 수 있었다.

'물론 정말 단순히 의식만 온 것은 아니지.'

하모니가 품은 힘은 특별하다. 지금 저런 뚱냥이의 몸을 가지고 있다 하더라도…… 정신을 집중하면 그녀에게서 초월자의 [격]을 느낄 수 있다.

제한적이지만 스킬과 특성까지 발동할 수 있고 다른 스텟은 다 날아갔어도 [신성] 스텟만은 남아 있는 것이 지금의 그녀.

농담이 아니라 이 정도면 전력으로도 쓸 수 있을 정도다.

'하지만 너무 특수한 경우야.'

나는 지구와 아르데니아를 쉽사리 오가지만, 그것은 나 스스로가 아르데니아를 품고 있는 당사자이기에 가능한 일일 뿐. 아르데니아에서 나고 자란 제국인들에게 34지구는 외계(外界)나 다름없다.

단순한 이계도 아니고 아예 바깥세상에 어찌 쉽게 나올 수 있겠는가?

하모니라는 존재는 특수한 스킬과 스텟, 그리고 [전승]이 만들어 낸 극히 예외적인 케이스이다.

"저도 확실하지는 않아요. 다만 시도해 보기 전에 말씀드려야 할 듯해서."

뭔가 생각해 둔 게 있다는 반응에 고개를 끄덕인다.

만약 가능하다면 내게도 나쁠 게 없는 일. 그러나 당연하게도 하양이에게 깃들면 안 된다. 기껏 산 500억 짜리 스마트 펫의 기능을 포기할 수 없기 때문이다.

"공기계 하나를 더 알아보도록 하지. 시도할 때 말해."

"네, 폐하! 그럼 다시 작업하러 가겠습니다!"

앞발을 들어 경례를 하더니 쪼르르 멀어진다. 어느새 활성화된 마이크가 허공을 날아 그녀를 뒤따랐다.

"아주 신났군."

멀어지는 뚱실뚱실한 엉덩이를 보며 헛웃음 짓는다.

인류제국 최고의 디바이자 슈퍼스타인 하모니지만 34 지구에서의 고양이 생활이 더 취향에 맞는 모양.

"목적지 초현실 연구소."

[목적지가 설정되었습니다.]

텔레포트 마법진 위에 올라서던 난 문득 어이가 없어 웃었다.

"……1억 8천만 원이라니."

아주 예전, 리전에게 3억의 후원을 받았을 때가 떠오른다. 경험한 적 없는 무지막지한 액수에 머리가 빙빙 돌고 손발을 다 떨렸었다.

'수수료가 6천만 원이었나. 크큭. 이게 다 생생하게 기억나네.'

두 달 동안 잠도 안자고 미친 듯 일해서 번 돈보다 수수료로 뜯긴 돈이 더 많다는 사실에 허탈감을 느꼈었다.

사실은, 분노까지 느꼈다.

아니 지네가 뭔데 아무것도 안 하고 20%의 수수료를 뜯어간단 말인가?

물론 이제는 분노하지 않는다.

그 수수료를 이제 오룡넷의 주인인 내가 먹기 때문이다.

'플렛폼을 운영하느라 직원들 월급도 주고 세금도 내는데 그 정도 수수료는 받아야지! 암!'

어쨌든 잡념을 떨치고 다시 하모니에 대해 생각한다.

그녀가 수익을 벌어들이는 상황은 그때의 나와 전혀 다르다. 나는 아르데니아의 작품들을 베껴 냈던 나와 달리 그녀는 온전히 자신의 힘으로 수익을 만들어 내고 있기 때문이다.

34지구에 온 지 며칠 되지도 않았다는 사실을 생각하면 그야말로 어처구니없는 일.

"정말이지…… 나올 거면 진작 나오던지."

만약 그녀가 지금보다 더 전에 현실로 나올 수 있었다면 어땠을까? 만약 그랬다면 정말 많은 것이 달라졌으리라. 내가 해야 할 노동도, 성장 방식도, 심지어 그녀와의 관계에도 어마어마한 차이가 있었겠지.

'이미 경제적 자유를 얻은 시점에서는 상관없는 일이 되었지만.'

더 쉬운 길이 있지 않았을까 하는 생각에 입맛이 쓰다.

"나갔다 온다."

"아, 네! 다녀오세요!"

멀리서 들리는 하모니의 인사를 뒤로하고 텔레포트 마법진을 작동시킨다.

팟!

이동은 순식간이다. 초현실 연구소까지의 좌표가 이미 열려 있기에 가능한 일이었다.

"어서 와요."

마법진 앞에서 사랑이 나를 반긴다. 주위를 둘러보았지

만 다른 사람은 없다.

"오랜만이에요. 사랑 씨."

"네, 워낙 바빠서."

어딘가 어색한 웃음에 문득 생각한다.

'어라. 그러고 보니 엄청 오랜만인 건 나뿐이고 사랑 입장에서는 아니지 않나?'

나야 오룡이와의 14박 15일이 5년짜리였으니 그렇지만 그녀에게는 그렇지 않았을 텐데.

거기까지 생각이 진행되자 나는 내 실수를 깨달을 수 있었다.

'아차. 말투가…….'

그녀와 내 관계는 밤새 아르데니아에 대해 대화를 나눈 이후로 제법 가까워져 있었다. 내 기억으로는 서로 말을 놓기까지 했을 정도. 그런데 다시 만난 우리는 말을 높이고 있다. 돌아보니 통화할 때부터 그랬다.

'아이고. 사랑이 말을 높여서 내가 착각했군.'

남들보다 더 많은 시간을 살다 보니 하게 되는 실수였지만 나는 후회하는 대신 태연하게 그녀의 옆에 섰다.

이제 와 말을 놓는 건 어리석은 짓. 대신 나는 그녀가 하는 대로 예의를 지키며 말했다.

"잘 지냈어요? 요즘 네메시스 소프트의 위상이 어마어마하던데."

"꽤 오래전부터 계획하고 있던 일이긴 한데 그 과정이 제 상상 이상이었어요. 어쨌선지 한국 정부와 강철계가 지원을 해 줬거든요. 사실 아스트랄 네크워크는 언감생심 꿈도 못 꿀 기술이었는데."

사랑과 천천히 걷는다. 그녀는 차분한 태도로 그동안 있었던 일들에 대해 설명해 주었다.

기계생명체 리전과의 제휴로 신기술을 개발하는 과정.

한국 정부의 주선으로 강철계의 막대한 마법적 지원을 받은 이야기.

다른 문명들과의 협상과 설득 과정.

하위 문명의 플레이어들을 받아들이기 위한 준비까지.

그리고 그렇게 용건이 끝날 때 즈음 사랑이 드디어 진짜 용건을 꺼낸다.

"그…… F · D 멤버들은 어떻게 된 거예요?"

약간은 조마조마한 얼굴로 나를 본다.

문득 웃음이 나온다.

'이 사람이 일흔이 넘었다니.'

일흔이면 평균 연령이 높기로 유명한 34지구에서도 결코 어린 나이가 아니다. 외향이야 영능과 관리로 해결할 수 있지만 겪어 온 세월이 어디 가겠는가?

그리고 그런 면에서, 지금 보이는 사랑의 모습은 도저히 그 나이대로 보이지 않는다.

"재연 씨?"

"네, 사랑 씨."

"왜…… 웃어요?"

골이 난 듯 찌푸리는 표정에 나도 모르게 말했다.

"귀여워서요."

"……!"

펄쩍 뛴다. 농담이나 비유가 아니라 진짜로 그랬다. 그녀는 하마터면 천장에 머리를 찧을 뻔했다. 연구소 규모가 규모인지라 층고가 높았음에도.

고개를 확 돌리며 사랑이 따져 묻는다.

"재연 씨? 지금, 그게, 무슨."

"오룡이 녀석들에게 고백을 받았습니다. 선물도 받고…… 연인들이 여행을 가면 으레 할 만한 일들을 했죠."

"아."

새빨개지던 사랑의 표정이 이번에는 하얗게 변한다.

그녀가 어떤 마음인지 대충 짐작이 갔지만 어쩔 수 없다. 이미 벌어진 일을 거짓으로 꾸며 말할 수는 없는 일이니까.

그리고 좀 잔인한 말이지만.

'우리 사이가 특별히 죄책감을 느낄 정도로 깊지도 않지.'

그래. 우리는 가까운 사이지만 단 한 번도 사랑의 속삭임이나 성적인 긴장감을 나눈 적이 없다.

굳이 말하면 연인보다는 친구에 가까웠던 관계.

"다만 같이 돌아오지는 못했어요. 드래고니안에서 그녀들을 데리러 왔거든요. 지구로 돌아오는 길에 그들을 만났죠."

"……설마 강제였나요? F · D의 스케줄이 전부 취소되어서 위약금 물었다는 말은 들었는데."

"강제까지는 아니어도 드래고니안으로 돌아간 건 사실입니다. 언젠가는 다시 돌아오겠다고 했는데 한동안은 어려울 것 같고요."

"아, 그, 네. 그렇군요."

사랑이 떠듬떠듬 어색하게 답한다.

"네, 그렇습니다. 대답이 되었다면 이제 갈까요?"

버벅거리는 사랑을 끌고 연구실로 들어간다.

다시 일을 할 시간이었다.

* * *

"그래서."

화려하게 꾸며진 성. 그 한가운데 있는 옥좌에서 칸이 물었다.

"이렇게까지 무리한 이유가 뭐지. 헌원."

"적어도 심심해서는 아니지."

어느새 칸의 앞에는 새하얀 머리칼을 가진 사내가 서 있다. 오색으로 빛나는 머리칼에 아름다운 미모를 가진 칸과 달리 일견 초라해 보이는 늙은 노인.

그러나 당연하게도 그 모습에 큰 의미는 없다. 그는 칸과 더불어 드래고니아에 셋밖에 없는 황제 클래스의 존재였으니까.

"……헌원? 너?"

약간은 신경질적이던 칸의 표정에 놀람이 깃든다. 용신족의 거두로 용황족을 대표하는 그녀와 동급의 존재인 응룡(應龍), 헌원(軒轅)의 오른쪽 눈이 감겨 있었기 때문이다.

중급 초월자인 칸은 그것이 거대한 권능의 반동이라는 것을 바로 눈치챘다. 헌원은 적어도 수백 년간 저 눈을 뜨지 못할 것이다.

헌원이 말했다.

"변화가 생겼다. 그 힘의 끝을 추정조차 할 수 없는 외계의 괴물이 본격적으로 움직이기 시작했어."

"……설마, [그녀]가?"

창조주와 동격이라는 [그녀]에 대해서는 본디 대우주에서도 아는 이가 몇 없는 극비였지만…… 이제 와서는 알음알음 그 정보가 퍼져 나가고 있다.

당연한 일이다. 당장 몬스터가 차원을 넘어와 온 우주를 유린하고 있는데 어찌 그 원인을 찾지 않을 수 있겠는가?

물론 그래 봐야 구할 수 있는 건 파편화된 정보일 뿐 제대로 된 확인이 불가능했다. 대우주의 밖은 상급 신들에게도 미지의 영역이기 때문이다.

오직 소수의 최상급 신들만이 그 공간을 자유로이 오갈 수 있다.

"정확한 사정은 알 수 없지. 다만 너도 들어는 봤겠지?

몬스터의 등장이 멈췄다는 이야기."

"……그래."

온 우주를 죽음과 고통으로 밀어 넣던 몬스터들의 습격이 멈췄다. 아무런 예고 없이 불쑥불쑥 나타나던 몬스터들의 공격에 우주 문명들이 대응하기 시작하자 벌어진 일.

그 난데없는 변화에 죽다 살아나 안도의 한숨을 내쉬는 문명들도 있었지만, 불안감을 느끼는 문명도 많았다. 원인을 알 수가 없었기 때문이다.

"역시 이유가 있던 건가?"

"그래. 녀석들이 공격 방식을 바꿨다. 녀석들은."

[경고. 경고. 신원미상의 전함이 다수 접근중입니다.]

[다시 한번 경고 드립니다. 신원미상의 전함이 다수 접근 중입니다.]

테라급 전함 크로매틱의 관제 인격, 파이브의 경고에 헌원의 말이 멈춘다.

"……역시. 왔군."

팟!

둘의 앞으로 홀로그램이 떠오른다. 영상에는 크로매틱으로 접근하고 있는 전투 순양함들의 모습이 보인다.

칸이 눈살을 찌푸렸다.

"이게 무슨, 구세대 전함?"

약 500년 전 우주 전체에 휘몰아쳤던 대전쟁 시절. 혜성과 같이 등장한 [아이언 하트]는 우주 병기 역사를 완전히 새로 썼다.

엄청난 출력, 충전에 시간이 필요할 뿐 무한에 가까운 동력은 중요한 게 아니다.

중요한 것은 바로 [상성 우위].

아이언 하트에서 뿜어진 영자력은 불과 마주하면 불을 꺼뜨리는 물과 같고, 물과 마주하면 물을 빨아들여 한껏 생동하는 나무와 같고, 나무와 마주하면 그것을 태워 버리는 불이 된다.

마력과 마주하면 항마(降魔), 내공과 만나면 산공(散功), 신성력을 만나면 마치 신력과도 같은 성질을 띠는 사기적인 힘.

영자력은 신력을 제외한 모든 에너지 체계에 우위를 가지며 그 강도는 해당 에너지의 영적인 [격]과 차이가 날수록 증폭된다.

"여객선도 수송선도 아니고…… 전함을 저런 걸로 끌고 다닌다고?"

영적인 격이 없는 단순한 하위 에너지의 경우는 [상성 우위]의 효과가 절정에 달한다.

영자력을 적용하지 못한 기존의 우주 병기들은 아이언 하트를 장착한 전함이나 기가스들을 만나면 처참하게 패배할 수밖에 없는 이유이기도 하다.

적의 기본 공격에도 뚫리는 실드와 적의 기본 실드도

뚫지 못하는 미사일만 쏟아 내야 하는데 어찌 싸움이 되겠는가?

그러나 그럼에도 헌원의 표정은 심각하다.

"놈들이다."

"……설마?"

"그래. 몬스터야."

단정적인 목소리. 머리회전이 빠른 칸은 바로 상황을 이해했다.

눈앞에 보이는 구세대의 전함에, 몬스터가 가득 들어차 있음을 깨달은 것이다.

"몬스터를 바로 목적지에 던지는 대신…… 결집시킨다고?"

지금까지 몬스터들은 살아 있는 [생명]을 [표적]으로 우주 밖에서 [던져]졌다.

몬스터 사태 초반에는 민간인 피해가 천문학적일 수밖에 없었던 치명적인 공격 방식이었지만 대응책을 찾아낸 지금에 와서는 그 엄청난 규모의 몬스터들이 쉽게 처리되던 이유.

그러나 지금, 그들의 방식이 바뀌었다.

몬스터들이 던져지는 표적이 생명체가 아닌 [몬스터]로 변경되었고, 그렇게 던져진 몬스터는 모여서 우주를 누빌 수준의 [군단]이 되었다는 사실을.

이는 방만하게 흩어져 각개격파당하던 몬스터들이 하나로 뭉쳐 대우주를 찌를 날카로운 칼이 되었음을 의미

한다.

"나가 있는 모든 용족을 드래고니안으로 귀환시켜야 해. 녀석들이 시작했다."

헌원의 표정이 돌처럼 딱딱하다. 홀로그램에 비치는 전투순양함과 그와 맞먹는 덩치를 가지는 우주괴수들의 숫자가 100개체, 1,000개체를 넘어…… 만 단위를 넘어서고 있다.

그들에게야 어쨌든 상관없는 일이지만……. 젊은, 그리고 어린 용족들은 저 정도 규모의 군단과 만나면 반드시 죽게 될 것이다.

"초월자 사냥을."

* * *

한번 해 본 일이었던 만큼 연구소에서의 작업은 그리 크게 어렵지 않았다. 리벤지의 캐릭터와 아이템을 구현하는 데 내 안에 열려 있는 아르데니아의 소우주만큼 빼어난 능력은 대우주 어디를 뒤져도 없을 것이기 때문이다.

'하면 할수록 확실하군. 가장 중요한 건…… [키워드]인가.'

연구소의 다른 개발자와 연구원들이 오브젝트를 생성하려면 그 사물의 재질과 형태 모두를 기본부터 짜 올려야 한다.

예를 들어 사람을 만들려고 한다면 골격을 만들고 근육과 살점을 붙여야 한다. 머리칼을 붙이고 이목구비를 만들어야 함은 물론이고 입고 있는 옷의 색, 형태 모두를 디자인하여 한다.

나는 다르다.

나 역시 이미지를 떠올려 구현을 실행하지만, 가장 핵심적인 것은 그 무엇도 아닌 그들의 명칭이다. 그들의 그 명칭과 그것을 구체화 할 이미지만 있으면 구현이 끝나는 것!

연구원들이 내게 '꽃을 만들어 보세요.'라고 했을 때 내가 장미나 튤립이 아닌 플라워를 구현했던 것 역시 그런 이유이다.

'뭔가, 뭔가 감이 오는 것도 같은데…….'

어쨌든 중요한 건 내 개발 능력이 일반적인 개발자들과 격을 달리한다는 사실이었다. 가상현실을 구현하는 내 능력은 백이 넘는 특급 개발자와 마찬가지로 백이 넘는 최상급 디자이너의 협업으로도 감히 따라갈 수 없을 지경이었다.

약간 어색할 수 있는 상황임에도 사랑이 나를 부른 게 괜한 이유가 아니었다.

"아니 미친 한방에 구현한다고? 아무리 초월자여도 이게 말이 되나?"

"과정 없이 인물을 구현하는 게 가능하다니…… 평생을 사랑한 연인도 얼굴 구현하기가 힘든데 전신을, 심지어 옷까지."

구경하던 개발자들이 신음하는 모습에 내 작업을 한번 봤었던 연구원이 우쭐해한다.

"이게 트리플 초월자의 힘이지! 소문에는 내면세계에서 작업을 다 마치고 오는 거라고 하던데."

"하긴 저런 미친 디테일을 한 번에 한다는 건."

몇 명은 믿기지 않는다는 듯 눈을 비비고 있다.

"솔직히 거짓말이라고 생각했는데……."

"나는 지금 눈으로 보면서도 거짓말 같다."

월드 크리에이터 안에서 구현을 반복하는 내 모습에 개발자와 연구원들이 혀를 내두른다. 심지어 지금 작업에는 별 필요 없는 일러스트레이터와 디자이너들도 와서 작업을 구경하고 있다.

"와, 일당 80억이라기에 무슨 정신 나간 소리냐고 생각했는데…… 매일 오셨으면 좋겠다."

"개발 속도 미쳐 돌아가는 거 봐."

놀라워하는 사람들 속에서 사랑이 차분하게 설명한다.

"외계(外界)라고 하지만 차원의 벽에 갈려 있기에 그렇게 부를 뿐 새로운 맵은 다른 대륙이라고 할 수 있어요. 그곳은 플레이어가 없는 세상이고 그렇기에 몬스터들에게 정복당한 상태죠."

"아르데니아 대륙이 통일되면 황제 클래스가 등장하게 되니…… 그곳에도 황제가 있겠군요."

"네. 3개의 대륙이 있고 그곳을 지배하는 황제급 몬스터들은 리벤지에 존재했던 9속성 외의 새로운 속성을 하나씩 완성한 존재예요."

거기까지만 들어도 대충 상황 파악이 가능하다.

"삼대 속성."

"네, 3마리의 황제급 몬스터는 3대 속성 중 하나에 통달한 존재에요."

마법의 신은 세상의 속성을 12개로 분류했고 그중 3개의 속성을 따로 분리해 삼대 속성, 혹은 절대 속성이라 구분했다.

시(時). 공(空). 무(無).

일반적인 영능으로는 아주 간접적으로밖에 다룰 수 없는 상위의 힘이다. 과학 기술로 저 영역을 다루게 되면 그것만으로 대우주 상위 문명이라 표현되는 4문명에 들어설 수 있을 정도.

"일단은 시간 포식자부터 시작할게요."

황제 클래스의 스페셜 보스를 구현하는 건 내게도 쉽지 않은 일이었다. 그녀로부터 제공받은 일러스트와 각종 설정을 받아들여 [키워드]를 활성화시킬 수 있었음에도 그랬다.

결국 그날은 전체적인 권능을 이해하는 수준에서 일정이 끝났다.

"후."

월드 크리에이터에서 로그아웃해 나오자 사방에서 박수가 쏟아진다.

"수고하셨습니다!"
"수고하셨습니다! 휘익-!"
"신화적인 개발 현장이었습니다!"
호들갑을 떠는 개발자들을 헤치고 나온 사랑이 내게 음료를 넘겨준다.
나는 그걸 받으며 웃었다.
"분위기가 좋군요."
"좋을 수밖에 없죠. 리벤지의 위상이 예전과 비교도 할 수 없는 상황이니."
회사에 출근하는 건 당연히 돈을 벌기 위해서지만, 인간인 이상 욕을 먹는 것보다는 칭송을 받는 걸 선호하기 마련이다.
그런 면에서 리벤지가 34지구 게임 중 가장 많이 회자되고 온갖 상을 쓸어 받는 상황이 직원들의 사기에 영향을 줄 수밖에 없었으리라.
"그러면 끝인가요?"
"네. 아, 저, 그."
내 옆에 선 사랑이 잠시 떠듬거리다가 이내 결심한 듯 말한다.
"저녁 식사라도 같이 하시겠어요?"
"좋지요."
순순히 고개를 끄덕인다. 아닌 게 아니라 그녀와는 이야기를 좀 더 해 보고 싶었다.

"맛있게 드십시오."

연구소의 사원식당에서 나는 한식, 사랑은 양식을 받아 들고 따로 구분되어 있는 식탁에 앉았다. 사랑이 포크와 나이프를 들며 말한다.

"오늘 작업 속도는 아주 만족스러웠어요. 앞으로도 계속 부탁드릴 수 있을까요?"

"많이 급한 모양이네요."

아무리 네메시스가 잘나가는 회사라 해도 일당 80억은 결코 가벼운 지출이 아니다. 심지어 이건 광고처럼 일회성으로 끝나는 지출도 아니라서 길면 일주일에서 보름이 넘는 시간이 걸릴 수 있다.

'최종적으로 천억이 넘게 들 수도 있다는 말이야.'

최근 금전 감각이 미쳐 버린 내게도 1,000억은 결코 가벼운 돈이 아니다. 1,000억이면 엔간한 대형 온라인 게임 하나를 통째로 만들 수 있는 엄청난 예산인데 그걸 나 한 명의 인건비로 쓴다는 건 그만큼 네메시스 소프트가 시간에 쫓기고 있다는 뜻이다.

"그건……."

사랑이 잠시 말을 잇질 못한다. 왠지 부끄러워하는 모습이었지만, 이내 스스로를 추스르더니 말한다.

"휴. 숨겨서 될 문제가 아니겠네요. 다름이 아니라…… 아버지께서 게임을 시작하셨어요."

"아."

단번에 상황이 이해된다.

지금이야 배사랑이 리벤지의 어머니로 이름이 높지만, 사실 그건 최근의 일이고 과거에는 달랐다. 그녀는 그녀 스스로의 업적보다는 누군가의 딸로 더 유명했기 때문이다.

"회장님이…… 다른 화점의 성주들을 포섭하고 있군요?"

배재석.

34지구 최대 기업인 일성의 회장이자 경천칠색의 권위자다. 게임 마스터 관대하와는 동기동창으로 서로 말을 놓을 정도의 친분을 가졌으며, 어르신들조차 어르신이라 부를 정도로 오랜 시간을 살아온 존재.

재능의 한계로 초월지경에는 올라서지 못했지만, 그렇다 하더라도 34지구에서 가장 큰 재력과 권력을 지닌 인물이다. 그보다 확실하게 위에 있는 존재는 게임 마스터 정도겠지.

"네, 심지어 저한테도 이야기가 왔어요."

"확실히 회장님 정도면 화점의 성주들이라도 꼼짝 못할 만하죠."

배재석은 단순히 돈이 많은 재벌이 아니라 어르신들의 어르신이며 과거 혼란스럽던 34지구가 대우주의 낙원으로 크기까지 영향력을 발휘해 온 시대의 거인이다. 어르신들 중 태반이 그의 지휘를 받았던 경험이 있으니 그가 움직인다면 화점의 성주들 콧대가 높아도 결국 납득하게 되리라.

"몇 명이나 포섭된 겁니까?"

"확실하지는 않지만…… 지금까지는 세 명이요. 만약 저까지 손을 보태면 네 명이고요."

"거의 다 모았네요."

그 말이 사실이라면 농담이 아니라 조만간 리벤지에 올 마스터가 탄생할 수 있다.

'흠. 설마 리벤지가 업데이트 된다고 아르데니아도 그렇게 되는 건 아니겠지?'

순간 그런 생각이 들었지만 아마 아닐 것이다. 올 마스터를 업데이트 하는 데 120조가 넘는 주식이 필요했는데 몬스터는 알아서 업데이트 된다는 것도 웃기는 일이고 무엇보다 [그녀]는 아직 중급 초월자를 구현하지 못한다.

"당연하지만 아버지가 정말 게임을 즐기려고 하는 건 아니라고 생각해요."

"그럴 가능성이 높지요. 하지만 그 역시…… 리벤지를 인정한 결과일 겁니다."

리벤지는 크로스 플레이 게임으로 모바일로도, PC로도, 접속기로도 플레이 할 수 있는 게임이었다.

그러나 누가 리벤지를 가상현실로 즐겼던가?

뛰어난 그래픽과 신기술이 접목되어 있다 해도 리벤지는 그저 과금 게임이었다. 플레이어의 95% 이상이 모바일로 게임에 접속했고 그중 태반은 그저 자동 사냥을 돌렸을 뿐이었다.

그러나 이제는 아니다.

수많은 플레이어들이 접속기로 리벤지에 접속한다. 리벤지 안에서 사람들을 만나고 대화하고 여행을 다닌다. 놀이기구를 타기도 하고 수련을 하기도, 음습한 욕망을 풀기도 했다.

하위 문명의 플레이어들이 대거 유입된 이후로는 그 빈도는 훨씬 더 커졌다.

'양심 없는 과금 게임도…… 플레이어만 많아지면 돈 쓸 맛이 나는 게임이 된다.'

현실에서 1억짜리 차나 스마트 펫을 산다고 생각해 보자. 그걸 누가 알아줄까?

아무도 알아주지 않는다.

그냥 1억짜리 자기 물건을 산 것에 불과하니 그 누구도 거기에 신경 쓰지 않는다. 낭비를 했다고 핀잔이나 안 들으면 다행.

그러나 리벤지에서는 다르다.

1억짜리 장비와 캐릭터를 가지고 리벤지를 활보하면 하위 문명의 플레이어들이 그를 선망의 눈으로 바라본다. 사냥을 도와 달라고 굽실거리며 형님오빠 하고 알랑방귀를 뀌기도 한다.

무과금 플레이어가 대거 늘어나자 조금만 과금을 해도 상위 플레이어가 되는 상황이 된 것이다.

"뭐, 그, 그렇죠?"

"그렇죠."

그리고 이런 흐름에 힘입어 리벤지 안의 오브젝트들

이 점점 더 활성화되고 있다. 리벤지 안에 예전에는 존재하지도 않던 영화관이 생기고 도서실이 등장했다. 공원들에 디스플레이가 설치되어 뉴스와 예능을 방영해 주고 도시 곳곳에, 사냥터 곳곳에 광고판이 자리 잡았다.

온 우주에서 모인 플레이어은 자연스럽게 34지구의 문화를 받아들이고 34지구 기업들의 광고를 보며 성장할 것이다.

그들 전부가 능력자로 각자의 문명에서 높은 자리에 올라갈 가능성이 있다는 걸 생각해 보면 이건 정말 엄청난 의미다.

'애초에 이런 그림을 그리고 있었는지도 모르겠군.'

이미 리벤지는 게임이라기보다 계급이 존재하는 새로운 사회이며, 가히 두 번째 삶(Second Life)이라 해도 부족함이 없는 공간이 되었다.

그 뒤로도 많은 이야기를 사랑과 하였다. 하나 결론은 일단 배재석 회장이 올 마스터가 되기 전 어떻게든 새로운 콘텐츠를 만드는 게 중요하단 것이었다.

"오늘 수고하셨어요. 앞으로도 잘 부탁드려요."

"저야말로."

그 후로 나는 매일 연구소에 출근했다.

"안녕하세요!"

"오늘도 잘 부탁드립니다!"

인물과 몬스터, 아이템을 구현하고.

"수고하셨습니다!"

"수고하셨습니다! 재연님!"

퇴근해 드래곤 스타로 돌아간다.

"폐하! 곡을 거의 다 옮겼습니다!"

"그래? 그럼 이제 소설도 필사해라."

"흐냥!?"

"……뭐냐 그 리액션은."

"아, 요새 방송에 집중하다 보니 그만."

아르데니아의 콘텐츠를 꺼내 오는 작업을 하모니에게 넘긴다. 그러고도 녀석이 현실에서 쓸 수 있는 시간이 8시간까지 늘어났다. 녀석이 현대 기기를 다루는 실력이 워낙 좋아진 덕이다.

"재연 씨. 크기를 좀 더 키워 주시겠어요?"

"재연. 혹시 거대한 절벽도 만들 수 있나요?"

"재연아. 인물들 체형이 다 똑같잖아!"

사귄 적도 없는데 차인 듯 굴던 사랑과의 관계도 점점 부드러워져 갔다, 어색함이 사라지자 어느 순간부터 말도 다시 놓기 시작한다.

[그림자 공주의 활약으로 난민들을 구출하는 데 성공했습니다! 그러고 보니 그림자 공주는 우주 평화군의 막내로 엄청난 사랑을 받고 있다고 하죠?]

[어리다고 무시할 수준이 아닙니다. 인기 배우인 혜영 양은 최근 그림자의 지문(地門)을 열었다고 합니다. 나이를 생각하면 믿을 수 없는 수준이지요.]

[그러고 보니 최고의 미남 이성재 군도 8클래스에 도달했다고 하지요. 치열한 전투가 극적인 성장을 이뤄 냈다고 할 수 있습니다.]

'녀석들 요새 안 보인다 했더니 우주 평화군에 들어가 있었네.'

바쁘게, 그리고 평화롭게 시간이 흘러간다. 나는 출퇴근을 하며 사랑과 식사를 하기도, 이야기를 나누기도 했다.

그리고 그렇게 일주일이 지났을 때.

사랑이 진지한 표정으로 물었다.

"우리, 술 한잔할래?"

(열일하는 과금 기사 12권에서 계속)